探索天下·学生版

历史未解之谜

Lishi Weijie Zhi Mi

郑丽萍◎主编

北京出版集团公司
北京教育出版社

探索世界的奥秘，

爱因斯坦曾说过：
“探索奥秘对于人类而言，是美妙的事情。”

“探索天下 · 学生版”系列丛书是一把为你打开奇妙新世界的钥匙，翻开这套书，你会看到：

新奇知识大搜罗

关于你对未知世界的诸多疑问，这里没有答案，只有关于未知世界的1001个问题，而答案等待你来寻找！

真实世界大展示

真实、理性、科学的事实陈述，高清、丰富、多角度的图片呈现，让你更直观、更清晰地了解未知世界！

神秘世界大发现

深海的宝藏、外星人的基地、会动的植物、恐龙的DNA、神奇的金字塔、瑰丽的海底世界……世界的每一个角落都藏着谜团，等待你去寻找，去破解！

我们不要枯燥，不要呆板，要让科学好玩起来！

找到属于你的答案！

探索未知，拓宽知识视野；
发现新知，培养创新精神。

这里有神秘莫测的中外文化谜团。比如，人真的是由猿猴进化而成的吗？野人在哪里？汉字真是仓颉造出来的吗？……

1

你会了解一些名人的小秘密。比如，安徒生到底是不是王子？拿破仑是怎么死的？屈原为什么要投江？顺治帝为什么会出家？……

2

3

你可能会对神秘的宝藏、传世的文物古迹比较感兴趣。比如，洛豪德岛的海盗遗产，圣殿骑士团的宝藏，“黄金城”的故事，马王堆千年不腐的女尸，曹操的陵墓，等等。

4

你或许对云谲波诡的政治风云十分好奇。比如，“无敌舰队”为什么覆灭？罗马皇帝克劳狄是傻子吗？是谁曾经火烧莫斯科？……

图书在版编目（CIP）数据

历史未解之谜 / 郑丽萍主编. —北京：北京教育出版社，2017.1
（探索天下·学生版）
ISBN 978-7-5522-8095-1

Ⅰ. ①历… Ⅱ. ①郑… Ⅲ. ①世界史－青少年读物 Ⅳ. ①K109

中国版本图书馆CIP数据核字（2016）第177456号

探索天下·学生版

历史未解之谜

郑丽萍 / 主编

*

北京出版集团公司 出版
北京教育出版社 出版
（北京北三环中路6号）
邮政编码：100120
网址：www.bph.com.cn
北京出版集团公司总发行
全国各地书店经销
北京画中画印刷有限公司印刷

*

710mm×1000mm 16开本 20印张 280千字
2017年1月第1版 2019年12月第4次印刷

ISBN 978-7-5522-8095-1
定价：49.50元

Part01 · 外国卷

第一章 神秘莫测的人类文化

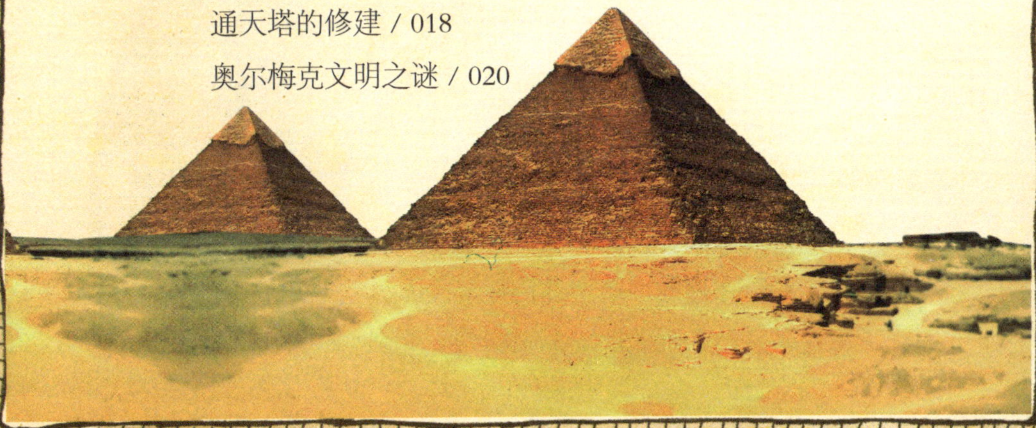

第二章 纷纷杂杂的名人奇事

第三章 传奇惊异的巨额宝藏

第四章 诡谲难料的政治风云

Part02·中国卷

第一章 疑问重重的历史事件

第二章 千古未解的文化谜团

第三章 离奇玄妙的文物古迹

Part01

外国卷

第一章

神秘莫测的人类文化

人类祖先之谜

在地球这个古老而神秘的蓝色星球上，我们人类的“祖籍”在哪里？为了解开这个谜团，古人类学家经过长期的艰苦探索，提出了各种不同的看法。

同一个母亲

遗传学家通过对世界各地人种的遗传基因进行比较分析，认为现代人在约15万年前居然拥有同一个母亲。那么，她是哪里人？

大多数人认为这个母亲生活在非洲，他的后代因为各种原因迁徙到世界各地，并且取代了当地的早期人类，从而形成了现在的我们。而印尼的“爪哇直立猿人”和亚洲高原的“腊玛古猿”以及中国的“北京猿人”等早期人类化石的发现却动摇了非洲起源论。人类有可能起源于南亚或是亚洲高原。难道我们共同的母亲是亚洲人？

不同的祖先

现代人真的有同一个母亲吗？为什么世界上会有黑、黄、白、棕四种不同肤色的人种？在我们的祖先到来之后，当地的早期人类到哪里去了？在欧、亚、非各洲都发现了一系列早期人类的化石，这就证明了在几百万年前，欧、亚、非各州同时存在着早期人类。因此，有人就提出，现代人的直系祖先就是当地的早期猿人、智人。也就是说，现在世界上存在着的四种不同肤色的人种都拥有各自的祖先。

祖先起源于大海

人们发现：所有灵长类动物都长有浓密的毛发，而人类却是皮肤裸露的；灵长类动物都没有皮下脂肪，而人类却有着厚厚的皮下

脂肪；人类胎儿的胎毛的生长位置也与灵长类动物明显不同；人类有着灵长类动物没有的泪腺，用来分泌泪液、排出盐分。而人类的这一系列特征却与水生哺乳动物惊人相似。人类不仅可以成为游泳能手，也能成为潜水专家，初生的婴儿具有很好的游泳能力，难道人类祖先起源于大海，这些行为是返祖现象？

祖先来自外星

考古学家在三叶虫（生活在距今6亿～2.3亿年前）化石上发现

了穿鞋的人类足迹，在南美洲发现了2.7万年前的古代星空图，而这一星空图是运用人类至今尚未掌握的天文学知识所描绘的。在古印度也发现了核爆炸留下的痕迹，但人类是在近几十年才开始掌握核技术的。

这一切的文明技术到底是谁发明和应用的呢？一位叫作马莱斯的科学家曾经提出一个新见解，他认为人类的始祖来自外星球，这就是“外星说”。这种学说认为我们的祖先是一群外来客，他们由外星球飞抵地球，但是由于飞行器故障等问题滞留在地球上，后来他们选择了优秀的地球物种，经过繁衍产生了人类。

人类的始祖是否真的来自外星球呢？当人类在仰望星空，幻想外太空的世界时，是否也有温暖的目光正在注视着也许是他们的后代的人类呢？

图注

❶ 古猿模型
❷ 阿法尔南猿模型
❸ 能人模型
❹ 直立人模型

祖先是海猿

1960年，英国人类学家提出：我们可能不是陆地灵长类之后，而是由海底的海猿进化而来的。古猿在800万～400万年前从陆地来到海洋，他们在海洋里完成了两脚直立、控制呼吸的进化过程，为以后的直立行走、解放双手、开展语言交流创造了条件。这就是“海猿说”。

1974年，考古学家发现了生活在约300万年前的“露西”化石，据研究，她的手臂和下肢相当细弱，似乎更适合在海洋生活。在“露西”的发掘地点旁还发现了许多浅水生物的化石，这说明“露西”生活的地方在近水区。考古学家将“露西”这种古人类称为“阿法尔南猿”。人类至今尚未完全了解海洋，而这孕育了无数生命的海洋是否真的曾经是我们祖先的乐园？

支持“海猿说”的另一个依据是人类进化史上存在的奇异空白。据推测，人类的起源经历了几个重要时期：古猿时期，距今800万～600万年前；然后是南猿时期，距今420万～400万年前；

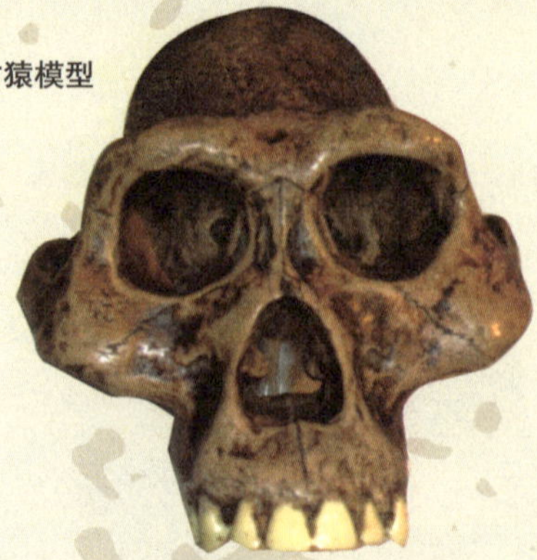
古猿模型

紧接着就是猿人时期，距今300万~20万年前。然而，在人们发现的众多人类化石中，其生存年代有段化石空白期，即生活在600万~420万年前这段时期的猿人。那么，这段时期我们的祖先到哪里去了？是我们尚未发现他们的化石，还是他们根本就没有在陆地上留下任何痕迹？

“海猿说”或许可以解释这个人类进化史上重要环节的缺失现象：人类在600万年前由陆地来到海洋，在海洋中历经了近180万年的演变过程，最终再次回到陆地，进而演变成今天的人类。这也就解释了为什么考古学家长期以来都没有发现那段时期的化石，因为当时人类的化石在海底。

谁是人类的直接祖先

有关人类祖先是谁的问题一直争论不休。在很长的一段时间里，大多数学者倾向于把非洲南猿看作人类的直接祖先。但在1974年，“露西”化石被发掘后，考古学家认为阿法尔南猿就是非洲人类的祖先。于是，一些人主张把阿法尔南猿看作整个人类的直接祖先。

然而肯尼亚国立博物馆的理查德·利基认为，人类的直接祖先既不是非洲南猿，也不是阿法尔南猿，人类真正的直接祖先至今还未被发现。而美国加州大学人类学教授斯凯尔顿和麦克·亨利于1986年提出新的观点，他们认为，人类的直接祖先是非洲南猿，而阿法尔南猿是非洲南猿的祖先。

那么，到底谁才是人类的直接祖先呢？也许，现在下结论还为时尚早。

女性直立人模型

全球洪水之谜

人类学家在研究中发现，美索不达米亚、希腊、印度、中国、玛雅等文明中，都记载着远古时代曾经有过一场毁灭性的世界性大洪水。大洪水直接摧毁了当时的文明。如此类似的传说从何而来？它们会不会是人类远古文明的真实记忆呢？

大洪水真的只是传说吗

很多学者认为世界性的大洪水纯属子虚乌有，而各地的洪水传说大多起源于两河流域的苏美尔人。他们的依据是考古发现。20世纪初，考古学家发现了载有最早洪水传说的苏美尔泥版文书；而后在对苏美尔古城乌尔的发掘中，又在地下发现了3.3米厚的沙层。据考证，沙层是公元前4500年前后，两河流域的一次特大洪水堆积出来的，洪水还淹没了一个叫乌博地安的史前民族。所以他们深信，苏美尔的洪水故事是这一次大灾难留下的记忆，经民间传说夸大为世界性的大洪水。这一故事通过在古巴比伦、犹太等许多民族中的流传而逐步演化为世界性的文化现象。

不同的意见

另一种意见截然相反。他们认为，地球第四纪冰期在1.2万年前开始退却时，气候转暖，冰河大量融化泛滥，海平面不断上升，吞没了露出的大陆架和陆桥，淹没了许多海岸和部分陆地。所以世界性的大洪水确实发生过，但并没达到淹没一切的程度。当时靠海地区的人们损失巨大，他们被迫向高地迁徙，随之带去了可怕的洪水故事。因此，世界上大多数地方都有关于世界性大洪水的传说。许多淹没在海水之下的文明遗迹及大海侵入的痕迹成为此说的有力论据。

可能引起大洪水的原因

至于引起世界性的大洪水的原因，科学家们认为有三种：外来撞击说、地球火山说、星球异动说。外来撞击说：一颗巨大的小行星撞击太平洋，造成海啸、地震等灾难，由此引发大洪水；地球火山说：地球火山爆发引起了大洪水；星球异动说：地球地轴移动造成南北极改变，气候剧变，原来的温带变成极地，极地冰雪融化，海平面上升，整个过程中大气变化剧烈，形成超级暴风雨，从而引发大洪水。但是以上所有关于洪水的解释都不能令人信服。传说中所包含的洪水未知之谜依然需要后继科学家来解答。

金字塔之谜

埃及金字塔是世界七大奇观之一，是为数不多的留存较完好的古代建筑奇观。但是，围绕在金字塔身上的迷雾，一直没有散去。

难以置信的建造之谜

科学家研究木乃伊

埃及最大的金字塔是法老胡夫的金字塔，它由农民、奴隶历时30年筑成。塔原高约146米，因风雨剥蚀，现降为约137米，相当于一座40层高的摩天大楼。塔身大约由230万块巨石砌成，每块巨石平均重量约2.5吨。如果把建造胡夫、哈夫拉、门卡乌拉三座相邻的金字塔的石块集中起来，砌成一道3米高、1米厚的石墙，其长度足够把整个法国圈起来。哈夫拉金字塔的旁边雄踞着一尊巨大的石雕——狮身人面像，高约20米，长约57米，下巴还垂着长长的胡须。当然，现在胡须早已脱落。

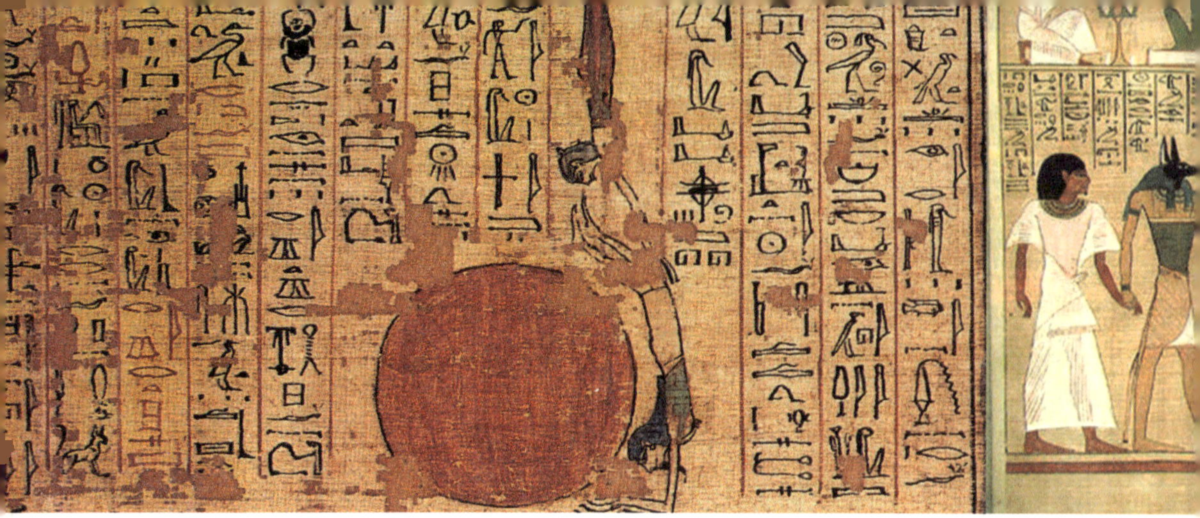

而金字塔究竟是谁修建的，为何古人能有这样巨大的人力、物力、财力去修建金字塔，以及金字塔的建筑方法等等，都是我们不得而知的谜题。

匪夷所思的学术奇迹

胡夫金字塔本身就有太多的神秘色彩：

塔重 $\times 10^{15} \approx$ 地球的重量

塔高 $\times 10^{9} \approx$ 地球到太阳的距离

塔基周长 $\div$（塔高 $\times 2$）$\approx$ 圆周率

另外，穿过大金字塔的子午线把地球上的陆地、海洋分成相等的两半，金字塔塔基正好坐落在地球各大陆引力的中心。还有，地球两极的轴心指向天空的位置每天都在变化，经过25827年的周期，绕天空一周回到原来位置，而金字塔对角线之和，正好等于25826.6英寸。

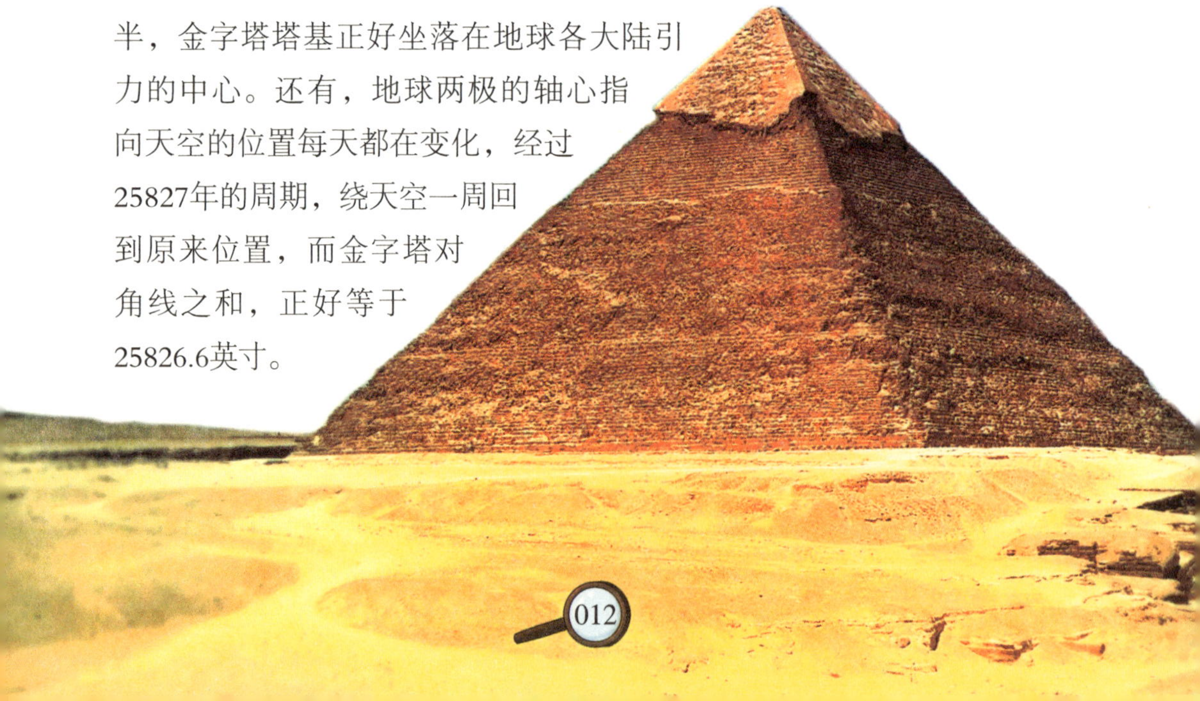

金字塔内神奇的力量

20世纪40年代，一个名叫布菲的法国人在胡夫墓室内发现了一些已死去很久的干瘪的小动物尸体，虽然室内并不干燥，但尸体一点儿也不腐烂发臭。布菲十分纳闷，他想了一会儿，突然灵机一动，想到可能是金字塔的形状使它们变成了木乃伊。

回国后，他按胡夫金字塔的比例，用木板制作了一个缺底的小金字塔模型。他把模型按南北方向放置，在中轴线距塔底三分之一高的地方，即金字塔内胡夫殡室的位置上安放了一只刚死的猫。奇怪的现象发生了，过了一些日子，死猫成了一具木乃伊。布菲又对其他的有机物进行试验，也得到了同样的结果。

后来，一个叫杜拜尔的科学家，将一把刮胡刀的刀片放在金字塔模型内，刀片竟然变得更锋利了。这种神奇的力量还促使杜拜尔发明了磨刀片器。

这种神奇的“金字塔能”到底从哪里来？为什么会产生上述神奇的效果？为什么它正好聚集于胡夫殡室的位置，即塔高三分之一的地方？这是巧合，还是古人已掌握了这其中的奥秘？各国的金字塔信徒们正千方百计地寻求谜底。他们大多认为，“金字塔能”是当代科学还不能解释的“客观存在着的一种自然现象”。

玛雅文化之谜

玛雅文化是人类已知的最早的古文化之一，早在公元前3世纪的时候，玛雅文化就在中美洲发展起来了。

被抛弃的文明

不知什么原因，约在1000年前，玛雅人放弃了高度发展的文明，大举迁移，玛雅文明一夜之间消失于美洲的热带丛林中。关于玛雅文明消失的原因有着种种猜测，有人说玛雅人遇到了瘟疫、气候变化，也有人说玛雅内部发生了争权夺势的血腥战争……它的消失与它的崛起一样，充满了神秘的色彩，为世人所瞩目。

神奇的雕刻

1952年6月5日，人们在墨西哥高原的玛雅古城帕伦克一处神殿的废墟里，发掘出了一块刻有人物和花纹的石板。当时人们仅仅把这当作玛雅古代神话的雕刻。但到了20世纪60年代，人类乘坐宇宙飞船进入太空后，那些参与过航天研究的美国科学家们才恍然大悟：帕伦克那块石板上雕刻的，原来是一位宇航员驾驶着宇宙飞行器的画面！虽然经

过了图案化的变形，但宇宙飞船的进气口、排气管、操纵杆、脚踏板、方向舵、天线、软管及各种仪表仍清晰可见。这幅图画的照片被送往美国航天中心时，那些宇航专家们无不惊叹，一致认为它就是古代的宇航器。

外星文明的继承者

有些学者提出了一种大胆的猜想：在遥远的古代，美洲热带丛林中可能来过一批具有高度文明的外星智能生命，他们走出飞船，教给了尚在原始时代的玛雅人各种先进知识，然后又飘然而去。他们被玛雅人认为是天神。玛雅文化中那些令人难以理解的高深知识，就是出于外星人的传授。帕伦克石板上的雕刻，就是玛雅人对外星人和飞行器的临摹。外星人离去时，曾向玛雅人许诺重返地球，但在玛雅人的祭司预言天神返回的日子里，这些外星人并未返回。这导致了玛雅人丧失了对其宗教和祭司统治的信心，进而引起了整个民族人心的崩溃，最终使他们一个个离开故乡，各自走散。玛雅文化就这样消失了。

也许人们会质疑这种猜想带有过多的假说意味。但即使否认了这种说法，也仍然无法圆满地解释玛雅文化那神秘的内涵，那众多令人不可思议的奇迹以及它突然消失的原因。

图注

1 画家笔下的玛雅人的生活

2 玛雅面具

3 玛雅遗迹

人类最早的文字是什么

人类最早的文字究竟是什么？是公元前3000年左右居住于两河流域的苏美尔人创造的楔形文字，是古埃及的象形文字，还是中国殷商时期的甲骨文？这是考古学家一直争论不休的问题。

楔形文字说

有些考古学家认为，从新石器时代起，幼发拉底和底格里斯两条大河哺育了许多农业村落。约公元前3000年，从外部迁移到伊拉克南部干旱无雨地区的苏美尔人利用河水灌溉农田，并在生产中发明了世界上最早的文字——楔形文字。他们用一种楔形的尖棒在泥版上刻写文字，从而创造出一批最早的国家城市和灿烂的苏美尔文明。

楔形文字

古埃及象形文字

象形文字说

另有一些考古学家认为，古埃及的象形文字是人类最早的文字。迄今所知埃及最古老的历史文献是于19世纪在古城遗址发现的纳米尔石板。

公元前3100年，在埃及沙漠的一处悬崖的石壁上刻着一幅有5250年历史的壁

画，描绘的是一个胜利的君王——也许就是“蝎子王”，一个曾被认为只属于神话传说中的人物，而他也许就是建立埃及文明的关键人物。埃及考古学家达内尔夫妇，曾发表关于他们在埃及开罗以南沙漠地区悬崖的峭壁上发现的该石刻绘画的研究报告，声称此画中的统治者是埃及神话传说中的魔蝎大帝。因该画中的符号同埃及后来才出现的象形文字相当接近，所以部分人认为象形文字是人类最早的文字。

北海道的惊人发现

19世纪60年代，日本人在北海道的手宫公园里发现了一个奇异的石洞，这个石洞的岩壁上有着一些与古文字十分相似的石刻，这引起了考古学家和文字学家的重视。他们对手宫石洞进行了深入发掘，认定这是古人留下的遗迹，而不是如某些人说的是近人的伪造。学者们对这些石刻进行了认真辨别和研究，倾向于认为它们不是史前壁画，而是一种真正的象形文字。但是这些文字到底该如何解读，它们记载了些什么，还不能断定，于是，人们的推测也就多了起来。

通天塔的修建

传说古时候，天下的人本说同一种语言，后来古巴比伦人要修建一座能够通天的高塔，以树立自己的声望。随着通天塔越建越高，这事惊动了上帝。他施展法术，使人们的语言互不相通，结果由于修塔的人之间无法沟通，修筑通天塔的工程便半途而废了。

古巴比伦空中花园和通天塔

通天塔是有原型的

很多史学家认为通天塔的建造是有原型的，关键是这座通天塔的原型指的是哪座塔。有人认为，传说中的通天塔就是古代两河流域新巴比伦王国时代巴比伦城内的马尔都克大寺塔。这座塔修建时，国王曾下令，一定要将塔顶提高，意与天公比高。而且，当时巴比伦城内的居民种

正在修建的通天塔

族很多，确实有语言不通的情况。可惜的是，大寺塔在公元前3世纪就被破坏了。

通天塔是否另有所指

也有人不同意上述说法，认为在大寺塔建成之前，巴比伦城内已有两座神庙，一座叫萨哥-埃尔，意为“通向云中”，另一座叫米堤-犹拉哥，意为“上与天平”，这两座神庙才是通天塔传说的来源。还有人认为，传说中的通天塔是指位于巴比伦城东南的乌尔大寺塔，因为这座塔在巴比伦的寺塔中修建时间最早，工程量最大。

是否有人真的修过通天塔，至今也没有一个确凿的说法，因为上述古塔早已被毁坏了。

画家笔下正在建造的通天塔

奥尔梅克文明之谜

3000多年前，美洲的墨西哥湾海岸上出现了一个相当高级的文明——奥尔梅克文明。当地的人们在高原上大兴土木，建造城市；并在这些远古的城市中创造了自己的文明……他们曾经很强盛，但后来却突然消失了，没人知道是什么原因。

真是中美洲文明始祖吗

有一种观点认为，奥尔梅克文明对中美洲宗教、艺术、政治结构和等级社会有重大影响，是中美洲文明的始祖。但另一种观点认为，现在还无法证明奥尔梅克文明高于当地其他文明。也有少数人认为奥尔梅克文明只是当时文明的一个“姊妹”文明，算不上什么始祖。

玛雅文明也传承自奥尔梅克文明吗

奥尔梅克文明和玛雅文明都是人类文明史上的谜团，而且它们都曾存在并兴盛于中美洲。所以，很多考古学家一直认为二者之间必然存在着某种联系。近来，研究分析发现奥尔梅克文明与玛雅文明之间确实存在着密切的关系，那就是玛雅文明传承于奥尔梅克文明。不过也有人持不同意见，耶鲁大学的考古学家迈克尔·科博士就认为玛雅文明并非源自奥尔梅克文明，而是一种独立的文明。

神秘的楼兰古国

在塔里木盆地的东部、罗布泊洼地的西北边缘，有一个几乎完全被沙丘埋没的遗址，即楼兰遗址。楼兰是西域三十六国之一，昔日绿草遍地、人往如织，在公元4世纪以后，这个古城王国却突然神秘地消失了。

偶然的发现

1900年，瑞典探险家斯文·赫定率先闯入罗布泊地区，打破了罗布泊沙漠的沉寂。在考察过程中，由于突遇风暴，斯文·赫定险些丧命，亏得一只水鸟将他引至一个小水潭边，才使他幸免于难。

风暴停息后，斯文·赫定发现面前出现了一些高大的泥塔和房址，起初他以为这是千年难遇的“海市蜃楼”，但走近一看，才发现这是一座被风沙淹埋的古城。经鉴定，这座古城就是赫赫有名的楼兰古城。

走进楼兰

楼兰城内比较集中的房址有三处：在佛塔东南约60米的台地之上，有一处大房址，可以看见尚有三间房室残迹，地表周围还可见到许多散

楼兰古国毡帽

布的木框架构件，推测原建筑规模较大；另一处在佛塔之东约30处的台地之上，地表也散见大量木框架构件，以及用红柳枝编织的涂泥的残墙，在表层堆积之下，残存四个小室；在另一处偏南的房址遗迹中，则发现有印章、铜铁箭镞和珠饰等。

楼兰丝织物

扑朔迷离的楼兰文字

从考古发现看，楼兰人使用的官方文字是佉卢文。西方语言学家发现，佉卢文并不是起源于塔里木盆地，而是来自于古代印度。如果再往前追溯的话，这种文字起源于古波斯帝国统治时期的中亚。但让人迷惑的是，这种文字早在公元2世纪的时候就被古代印度废弃，变成了一种死文字，何以公元2世纪中叶至4世纪后半叶还在楼兰使用？

突然消失的绿洲

现在，由探险和考古发现所揭示出来的楼兰文明越来越清楚地展现在人们面前。楼兰这个处于东西交通要道的走廊，汇集了东西方文明的精华。从已发掘的遗址范围和所出土的文物内容看，它当时的城市文明已经达到了相当高的水平。

虽然楼兰人曾经顽强地与恶劣的自然环境做过斗争，但最终仍不得不放弃他们心爱的家园。漫漫黄沙遮盖了昔日绿洲上的城市，一个辉煌了很久的文明就这样永远消失了。

神奇的地图出自谁手

当今的地图大多都是通过高科技手段绘制而成的，然而，人们却发现了在没有卫星勘测技术条件下而绘制出的精确地图！它们绘制的精准程度，甚至可以与当今的地图相媲美。

奇怪的雷斯地图

18世纪初，一位名为皮里·雷斯的土耳其海军上将收藏了一幅神秘的地图，它就是著名的雷斯地图。正是这幅地图，引起了科学界的一片哗然。从这张地图上我们可以清楚地看到，延伸至拉丁美洲最南端的、完整的美洲新大陆和非洲海岸线，甚至我们所认为的在当时无人问津的南极大陆也轮廓清晰。不仅如此，该地图居然还准确无误地绘制出了被冰封几千年的南极山脉。众所周知，现代人类绘制南极地形地图是在1952年之后利用高端的仪器来完成的。人们不禁要问：在没有任何高科技设备支持的时代，这张地图是如何绘制成的？地图的绘制者又是如何了解南极大陆的一点一滴的？

神秘的罗塞利地图

令科学家匪夷所思的并非只有雷斯地图，在众多的古地图中，人们还发现了一幅绘制于1508年的神秘地图——罗塞利地图，它是由当时著名的制图大师罗塞利亲手绘成的。人们通过仔细研究发现，该地图上同样有对南极大陆的精确描绘，而那时的南极大陆仍然不为人知。更令人惊奇的

雷斯地图

是，这幅地图竟然像是通过某种高空测量技术绘制而成的！

难道是远古高科技的产物

关于雷斯地图和罗塞利地图的由来，科学界争论不休。有人发现，在这些地图上，竟然有着与人造卫星拍摄的地球照片类似的地方，那就是地图上那些奇怪的弯曲！两幅地图上都存在着不同程度的弯曲变形，而这种弯曲恰恰就是需要从至少5000米的高空俯瞰大地才能看到的形状。也就是说，它们是精确的高空投影图！然而，人类在当时并没有飞行工具，更别说攀升至5000米的高空了。那么，这些高空投影图是怎样得来的呢？

难道是外星人绘制的

人们通过对比两幅地图发现，二者都有明显的伪造痕迹。据此，有人推测，这是好事之人伪造的。不过也有人推测这两幅地图最早都出自于外星智慧生物，因为只有他们才可能具有这种精确的探测技术。

野人之谜

野人的相关信息长期以来不时地出现在各种报纸、杂志中，甚至在古代也有关于野人的文献记载。它们是人类的“胞兄”，还是骇人听闻的“怪兽”？

奇怪的脚印

1811年，探险家大卫·汤普逊在北美洲发现了长30厘米、宽18厘米的巨大脚印。据观察，其步幅很大，绝非人类所留。1951年，一支勘测探险队在珠穆朗玛峰冰川上也发现了一串神秘的大脚印。中国的科考队在神农架也有类似的发现。迄今为止，世界各地有关这类大脚印的报道已上千例。

野人的传说

野人身形巨大，全身长毛，直立行走，奔跑如飞，动作灵巧。在北美的印第安人中，早就流传着这种神秘怪兽的传说。在湖北神农架以及世界的其他地方都有与野人相关的传说。声称自己见到过野人的人有很多，甚至有人声称曾与野人生活过一段时间。这些传说大多是已被拆穿的谎言，而某些传说却让人感到匪夷所思，难辨真伪。

画家笔下的野人形象

巨猿之后

在800万～50万年前，世界上曾经生存着一种巨型的类人猿，有专家推测，巨型类人猿并没有灭绝，而是进化演变成了困惑我们已久的野人，不过这种说法还没得到确认。

或许是猩猩

传说中的野人，直立行走，面部带笑，外貌似人又似猿。而猩猩似乎都具备这些特点。远古时期，猩猩不仅生存在非洲大陆，如今在中国也曾多次发现远古的猩猩化石，化石的年代一直延续到距今1万年前。也有学者提出疑问，虽然猩猩也能直立行走，但它一摇一摆走路的姿态似乎和目击者的描述大相径庭。特别是脚印，在历次野人考察当中，最为常见也最难以解释的就是数量众多的奇怪脚印。专家们用石膏复制出野人脚印模型，人们惊呆了，脚印的尺寸巨大，绝对不可能是猩猩留下的。

野人和摩尔人

狼人之谜

狼人是西方神秘文化中最热门的话题之一。传说中，这种怪物平时从外表看与常人并无不同，但一到月圆之夜就会变身为狼人，失去理性并变得非常狂暴。

狼人的来历

狼人的传闻开始于公元13世纪的英国。据说当时的英格兰国王被一名僧侣下了一种叫作狼头草的毒，而中了这种毒的人就会化身为狼。后来，匈牙利的国王，在1414年促使当时的罗马教廷承认狼人的存在。随后，狼人开始变成天主教徒口中的魔物。经过几百年的流传，狼人的传说已经遍及整个欧洲。

真的有狼人吗

在墨西哥，有一个叫戈麦斯的男孩全身长满了黑色的长毛，就像那些传奇故事中的狼人一样。其实他只是一个患有“多毛症”的正常人而已。多毛症，又称“狼人综合征”，是一种由基因突变而导致患者全身覆盖浓密毛发的病征，严重者只有手掌和脚掌没有长长的毛发。多毛症患者在全球数量极少。像戈麦斯这种“狼人”是没有危险性的，但是在欧洲还有另外一种“狼人”，他们有攻击倾向。据说他们可能只是一群被“变狼妄想症”困扰着的可怜的人。

“奥林匹克”起源之谜

第一届古代奥林匹克竞技开始于公元前776年。关于它兴起的原因，人们有多种说法。

希腊神话中的大力神赫拉克勒斯

爱情和王位的争斗

古希腊伊利斯国王有一个女儿，他想给女儿挑选一位文武双全的佳婿，于是诏令应选青年必须和自己比赛战车。公主的恋人佩洛普斯在比赛中获胜，因此他在奥林匹亚举行了盛大的祭典，其中有战车、角力等运动竞技，由此便创立了古代奥运会。

其他说法

希腊的大力神赫拉克勒斯击败了其他神以后，便在奥林匹亚举行体育比赛，以祭奠他的父亲宙斯。还有另一种传说：赫拉克勒斯与他的兄弟们因发生争吵，而在奥林匹亚山下比武较量，由此逐渐发展为古代运动会。究竟哪一种说法符合史实，我们已经无从得知。

特洛伊战争之谜

一场历时10年，规模宏大，并且成就了两大史诗的战争，就是特洛伊战争。而两部不朽的史诗就是荷马的《伊利亚特》与《奥德赛》，它们已成为西方文学的源头。可是，这场战争是神话故事还是真实历史呢？

金苹果之争

宙斯的孙子珀琉斯和仙女忒提斯结婚的时候忘记了邀请不和女神厄里斯。厄里斯是个很小气的女神，于是她想了个诡计来破坏婚礼。她知道婚礼上会有很多美丽的女神，便将一只写着“献给最美丽的女神”的金苹果扔在宴会上。天后赫拉、智慧女神雅典娜及爱神阿佛洛狄忒都觉得自己应得到这个苹果，但谁也不服谁，于是三人带着苹果去找特洛伊王子帕里斯做裁决。最后，帕里斯为了得到美丽的斯巴达王后海伦，把金苹果给了阿佛洛狄忒（阿佛洛狄忒承诺，若金苹果给她，她将帮助帕里斯得到海伦）。

特洛伊战争的经过

特洛伊王子帕里斯把王后海伦带回了特洛伊，海伦丈夫的哥哥——希腊国王阿伽门农为了帮弟弟夺回妻子，率领他的军队来到特洛伊。阿伽门农得到了伟大的希腊战士阿喀琉斯的帮助。阿喀琉斯在战场上杀死了特洛伊王子、帕里斯的哥哥赫克托耳。特洛伊国王普里阿摩斯与阿喀琉斯谈判，请求停战并归还他儿子的尸体……这些都记录在《伊利亚特》中。但在《奥德赛》中，故事并没有就此结束。帕里斯为了给哥哥报仇，杀死了勇士阿喀琉斯。此后，希腊人通过“木马计”潜入特洛伊，并最终摧毁了这座城市。

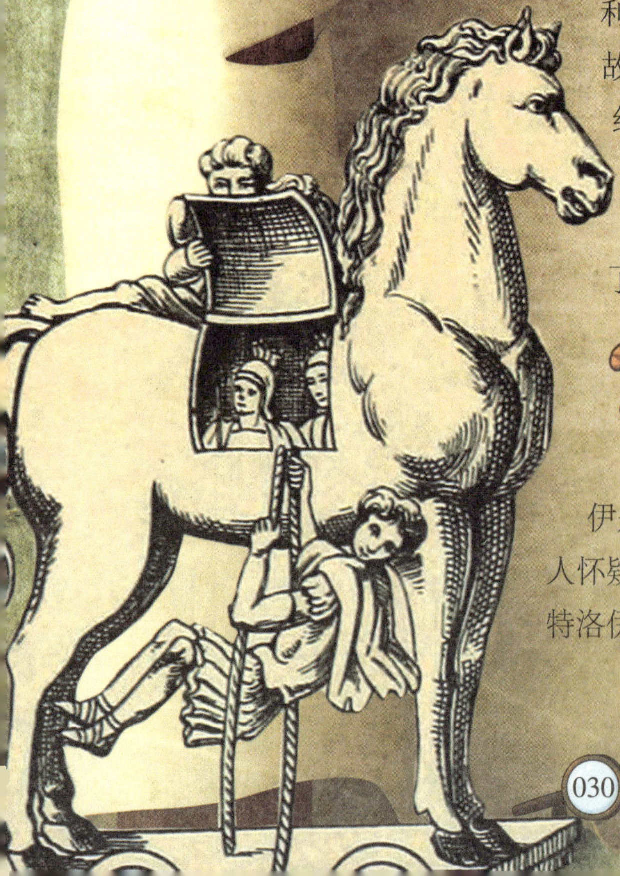

是神话还是历史

从18世纪开始，很多人怀疑特洛伊是否曾发生过战争，甚至还有一些人怀疑荷马的存在，但还有很多人相信特洛伊战争遗址就在小亚细亚西北部，今土耳其的希沙立克。到了19世纪60年代，只有极少数学者相信特洛伊战争是历史事实，相信它发生在希沙立克的人则更少。

但是，业余考古学家弗兰克·卡尔弗特与德国富翁海因里希·谢里曼以及谢里曼的助手威廉·德普费尔德，先后在希沙立克发现了古代的神殿、一些建筑物和一座城墙。后来，一支美国探险队的成员卡尔·布利根认为，特洛伊的覆灭，可能是一场地震导致的。因为城墙的一部分地基发生了移动，而其他部分则似乎彻底坍塌了，这种破坏不可能是人为的。那么特洛伊战争究竟是真是假？这一切都淹没在历史的长河中了。

印第安人来自哪里

美洲大陆是一块美丽、奇异、富饶的大陆，在哥伦布到来之前，这块神奇的土地上曾活跃着神秘、勇敢的印第安人。但是，美洲大陆的主人——印第安人到底来自何方？他们是美洲大陆土生土长的呢，还是从其他大陆迁移过来的呢？

大洋洲起源说

南太平洋中有连绵不断的岛屿，有些人据此认为印第安人的家乡在大洋洲，说南美印第安人中有的来自美拉尼西亚，有的来自波利尼西亚，有的来自马来西亚。但是也有人不赞同这种说法，他们认为大洋洲的马来人是古代秘鲁移民的后裔。令人感到兴奋的是，大洋洲起源说在南美确实找到了许多语言学和民俗学的证据，但是，这些证据只能说明两者之间在早期的时候有过交往，并不能说明印第安人的起源问题。

陷落大陆起源说

此说认为与直布罗陀海峡平行的大西洋水面上，曾有一块名叫“大西洲”的大陆，那里曾是世界上文明程度最高的地方；后来，这块大陆突然沉没了，幸存者逃到了美洲。此说法还认为加勒比印第安人就是这些幸存者的后裔。

西北欧起源说

该说认为美洲印第安人的祖先是从欧洲大陆向北经过冰岛和格陵兰岛进入美洲的。至于是哪一部落的人进入了美洲，有的人说是爱尔兰人，有的人说是日耳曼人，有的人说是苏格兰北部和西部的盖耳人，有的人说是荷兰的弗里斯人，还有的人说是克尔特人。

以色列犹太说

该说认为美洲印第安人与公元前722年被亚述人打败后的以色列各部落有关。持此说的学者认为，以色列部落被打败后纷纷外逃，一部分人滞留在印度和中国，另一部分人经鞑靼到达亚洲东北角，经白令海峡进入了美洲。

亚洲起源说

该说认为美洲印第安人的祖先是亚洲人，蒙古人种的亚洲人分别在4万年和1.8万年以前通过白令海峡的“陆桥”从阿拉斯加进入美洲大陆。据地质学家测定，在冰川时期，亚洲东北部与美洲西北部有陆桥相连。于是，人们进行了如下的假想和猜测：远古时期，亚洲东北部的原始狩猎民族在追逐野兽或迁徙过程中，不知不觉间就往来于白令海峡两岸，后来又从北美向南迁移，逐渐遍布美洲大陆。

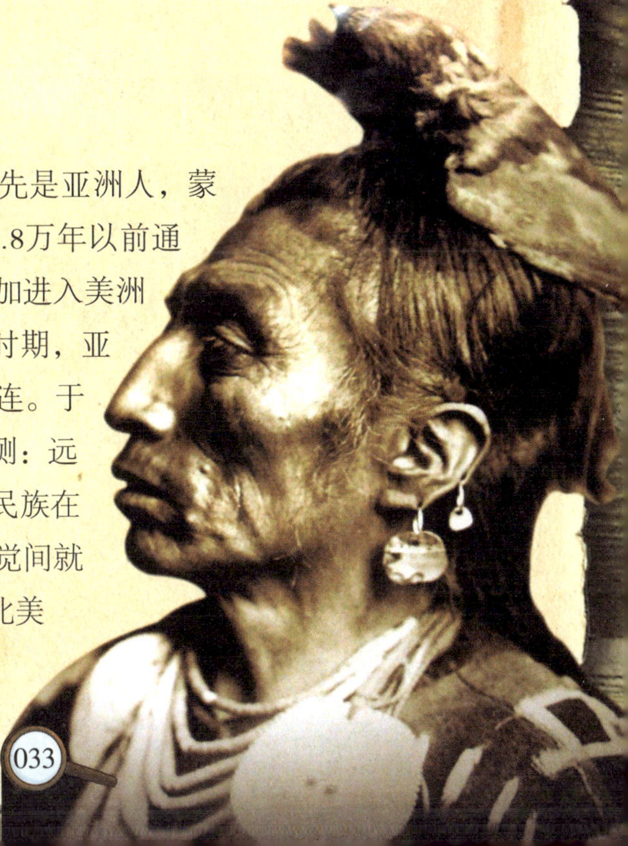

维纳斯雕像原型之谜

众所周知，《断臂维纳斯》是法国巴黎卢浮宫的珍宝之一，人们在惊叹“维纳斯”之美的同时，也对她的断臂充满了疑问和困惑：她的手臂哪里去了？她断臂之前的姿态又是怎样的呢？

雕像现身

1820年的一天，在爱琴海的米洛斯岛上，一个农民在铲除一丛灌木时，突然发现了一个洞穴。当他走进洞穴时，一尊优美绝伦的半裸女体大理石雕像呈现在他的面前，这就是著名的“断臂维纳斯”雕像。

后来，他把这个消息告诉了法国大使，法国大使以高价买下这尊雕像，并偷偷地运到了法国。雕像现陈列于法国巴黎卢浮宫美术馆。

残缺的美

关于维纳斯断臂之前的形态，人们各持己见。有人说，女神原来的样子是左手向前伸，手里握着一个金苹果，右手下垂，按住已坠落到下腹的衣裙。还有人说，她左手前伸，握着一面盾牌，右手腾空略向下垂，但是并不按住衣服。可是，当人们试着给女神安上手臂后，却发现雕像没有断臂时那么美了。

或许，维纳斯雕像原型之谜永远都不会有答案了。

大西洲失落之谜

大西洲是古希腊传说中的亚特兰蒂斯王国，传说它有高度发达的文明，富饶宽广的土地，后来由于地震和海啸消失在大西洋中。千百年来无数科学家去追踪探寻它的存在，但是至今无果。

柏拉图

柏拉图的描述

人们最初知道大西洲是从古希腊哲学家、数学家柏拉图的对话录《克里底亚篇》和《蒂迈欧篇》开始的。书中提到9000年前在大西洋有座孤岛，名叫亚特兰蒂斯，面积比小亚细亚与利比亚加起来还要大。那里土地肥沃，物产富饶，矿藏丰富。那里的道路通畅、运河纵横交错，对外贸易发达。为攫取更多的财富，他们凭借强大的船队向外扩张，曾一度征服了包括利比亚一些地区在内的地中海沿岸大片地区。不幸的是，一场毁灭性的地震和随后的海啸，使得整个岛屿在顷刻之间沉入海

底。为了证明大西洲曾真实存在过，柏拉图亲自到埃及实地考察。他访问了当地许多有名望的僧侣和祭司，但是，他们也只是听到些传闻罢了。于是大西洲是否存在引发了科学界的争论，有的科学家认为这只是一个传说，而有的科学家却坚信大西洲是真实存在过的。

人西洲不存在

持否定观点的科学家们认为，比利比亚面积更大的古国在顷刻间沉没于大海是极其不可思议的事情。从理论上讲，由地震引起的地壳变化是非常缓慢的过程，不可能一下子吞没那么大面积的陆地。据史料记载，迄今为止，造成地面最大裂口的地震是1906年的旧金山大地震，但当时那条裂口也仅能装得下一头母牛。

再从大陆漂移说的理论分析，在很久以前，地球上所有陆地是一个整体，后来分裂成几大板块陆地，这些板块陆地随着海洋漂移、分散，形成了现在的大陆板块。现在如果把所有大陆板块重新拼接起来，人们会发现，原来分裂的板块都能很完美地对接成完整的板块。所以，这也就再次说明大西洲存在的可能性非常小。

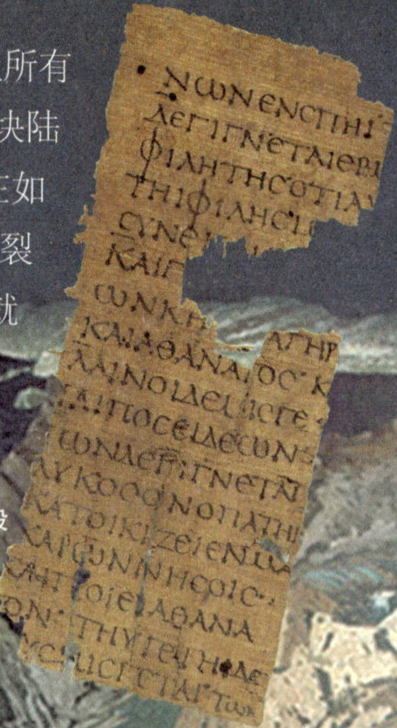

记载亚特兰蒂斯的文字片段

古画中沉没的大西洲

疑团重重

锡拉岛古城遗址

然而，那些相信大西洲真实存在过的科学家们也通过不断的探索研究搜集到大量证据。首先，按柏拉图的说法，大西洲的位置大概是在大西洋中心附近，而历史上记载在公元前1500年左右，古埃及的锡拉岛上火山喷发确实引发了令人震惊的地震，而且伴随着海啸，将克里特岛的文明完全摧毁。而克里特岛的位置与大西洲的位置相近。后来考古学家们还在大西洲历史位置附近发现了海下文明古城遗址，这为大西洲确实存在且被大海淹没提供了有利的证据。另外，科学家还在大西洋的外围亚速尔群岛发现了少量的海豹，而海豹是近海动物，它们怎么会出现在海洋中心呢？可见这里曾经是一片近海区域。科学家还在亚速尔群岛上发现有大量野兔，它们来自何方呢？此外，加那利群岛第一次被人们发现时，岛上还没有船只，却有人、牛、山羊和狗，这些又怎么解释呢？这重重疑团又让大西洲的存在成为一种可能。

油画中的大西洲

建造石像的民族去哪里了

1722年4月5日，荷兰航海家雅可布·洛加文在智利发现了一个小岛——复活节岛，岛上渺无人烟，奇怪的是却有很多巨人石像，那建造这些石像的人到哪里去了呢？他们为什么消失了呢？

神秘居民为何消失了呢

为了弄清楚这个问题，科学家经过考察，从岛上老人那里收集到大量的传说和故事。其中一个传说：建造这些石像的拉帕努伊人是因为不间断地建造石像，耗尽了岛上的自然资源而消亡的。如果事情果真如此，那么他们为什么要如此痴迷地建造石像，以至于将岛上的所有资源耗尽使自己灭亡呢？

为什么要建造石像

为了弄清小岛上曾经高度发达的文明消亡的原因，美国考古学家亨特在岛上度过了不止一个野外考察季节，搜集到了大量的证据。他认为500

年前，波利尼西亚人很可能为躲避部落间的冲突和战争来这里寻找新的栖身之地，他们带来了生活的必需品，还有家畜和各种农作物的种子。由于这里土壤肥沃，再加上人民勤劳，岛上的居民生活很富足，人口不断增加。后来，形成了多个部落，每个部落都有自己的首领，而且还有祭司。再后来，各部落之间发生纷争，每个部落和它的祭司都想让自己的部落强于其他的部落。为了证明自己的实力，也为了恐吓敌人，大家争相建造石像。哪个部落建的石像大，就证明它的实力强。

建造石像，灾难的开始

其实，早在波利尼西亚人来到岛上之前，这里就覆盖着浓密的亚热带森林，到处长满了各种各样的树、灌木和野草，绝大多数是一种现在岛上已经绝迹的棕榈树。这种棕榈树同高大的智利酒棕榈有亲缘关系。后来，各个部落为争相建造比别的部落更大的石像，并且需要将这些庞然大物运输到很远的地方，不得不砍伐高大的树木来制造巨大石像的运输工具。

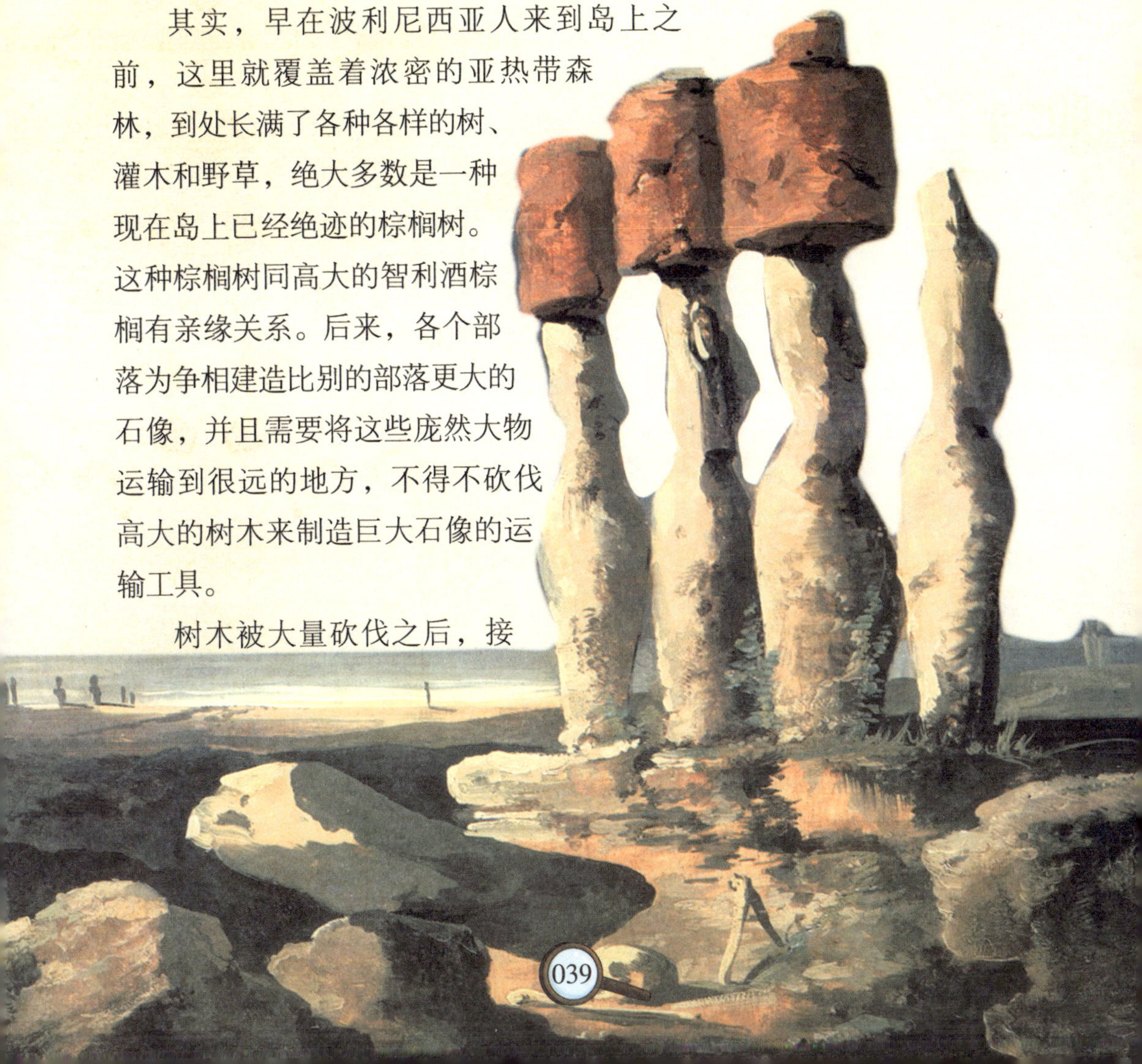

树木被大量砍伐之后，接

踵而来的是灾荒年代。另外，波利尼西亚人带到岛上来的老鼠把种子都吃掉了，这极大地影响了粮食作物的产量。等岛上只剩下一小片棕榈林时，拉帕努伊人就再也找不到原材料来建造渔船，捕鱼也就变得困难了。没有了好的环境，候鸟也不愿再到岛上来栖息，这就使得当地飞禽的种类也急剧减少。

拉帕努伊人为了养家糊口，开始利用带草的土壤表层。由于没有了树木，风雨加快了破坏土壤肥沃层的进程，土壤贫瘠化开始了。岛上开始出现纷争与混乱。后来，当欧洲人来到这个岛上的时候，岛上的居民仍然热情地招待客人，同他们分享为数不多的食物，而没料到自己已处在灾难的边缘。这些欧洲航海家带来了鼠疫、斑疹伤寒和天花等疾病，这些疾病夺去了岛上90%的居民的生命……

当然，以上观点还需经科学界最后证实，目前还不能完全断定拉帕努伊人就是因此而消亡的。

另一种消失的可能

俄罗斯科学院人类学和民族学博物馆资深科研人员伊林娜·费奥多罗娃认为，在一些老地图上，复活节岛周围还有其他一些岛屿，传说这些岛屿是慢慢沉到水底下的。所以，为了得出正确结论，有必要对所有假设进行一番验证。而且，由于众多历史学家和语言学家仍在不懈地探索、求证，对复活节岛文明的研究必将出现新的成果。

神秘消失的精绝国

2000多年前，汉朝使臣张骞等人出使西域。在塔克拉玛干沙漠地区，他们发现了一个极具代表性的小王国，这就是精绝国。令人不解的是，作为丝绸之路的必经之地，精绝国在晋代以后竟然逐渐沦为荒无人烟的废墟，从历史记载中消失得无影无踪。

沙漠绿洲

据《汉书·西域传》记载，精绝国位于昆仑山下、塔克拉玛大沙漠南缘，受汉王朝西域都护府统辖。精绝国虽是小国，但它是丝绸之路上的咽喉要地，地理位置十分重要。史书中描述的精绝国所处的环境是“泽地湿热，难以履涉，芦苇茂密，无复途径”。显然，当时的精绝国是一片绿洲。然而在公元3世纪后期，精绝国却突然消失了。至于它消失的原因，

精绝国遗址

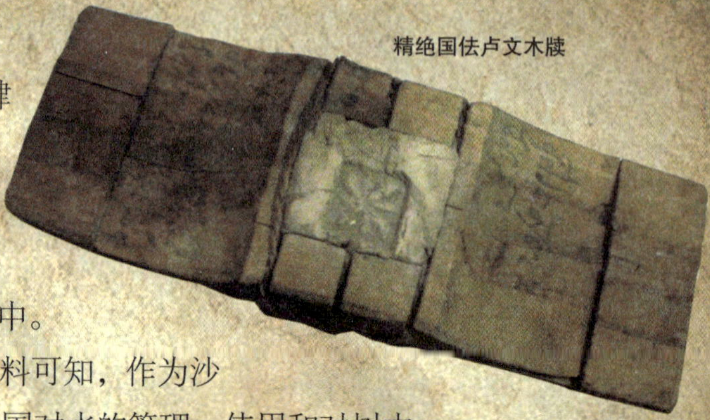
精绝国佉卢文木牍

许多人认为，是当地人大肆砍伐树木，破坏生态环境，致使水源枯竭，风沙肆虐，绿洲消失，最终使精绝国淹没于茫茫沙海之中。

根据出土的考古文字材料可知，作为沙漠中的绿洲王国，当年精绝国对水的管理、使用和对树木的保护都有一套有效的办法。一旦有人因管理不善，导致损失，就要受到惩罚。对于挡风防沙的树木，精绝国规定，如果有人将树连根砍断，罚马一匹；如果砍断树枝，则罚母牛一头。可以说，精绝国对水和树木的重视和管理，不仅保证了农业灌溉和人民日常生活用水，也有效地维护了绿洲的生态环境。

然而，这样一个生态环境维护得相当好的绿洲王国，怎么会沦为沙漠中的废墟呢？是河水突然断流，导致精绝国覆灭；还是社会动乱，导致王国赖以存在的生态环境遭到严重破坏呢？现在人们还缺乏直接的证据来证明这些推测，精绝国的消失至今仍是一个谜。

精绝国出土文物

消失的黑水城

俄国人科兹洛夫和英国人斯坦因于20世纪初在黑水城发现了大量的西夏文献，这一发现被公认为是继19世纪末、20世纪初殷墟甲骨、敦煌遗书之后的中国第三大考古文献发现。黑水城有很多神秘的故事，其消失原因也扑朔迷离。

黑水城名字的由来

黑水城，位于额济纳河下游北岸的巴丹吉林沙漠的边缘地带，因旁边有黑水河流过，故名黑水城。元代时又称“亦集乃城”“哈拉浩特”，为黑色都城之意。西夏十二监军司之一黑山威福司治所。黑水城最初是因额济纳河而得名的。额济纳，

党项人

原是西夏党项族语，意为“黑水”。该河来源于祁连山的雪水。每年，祁连山上融化的部分雪水，都要汇成河流，向北流向内蒙古阿拉善盟的额济纳草原，最后注入最北端的居延海中。这条由雪水汇成的河流，就是古代人称为“黑水”的额济纳河。

神秘的黑水城将军

传说过去黑水城是西夏都城，最后一位君主号称黑将军。他英武盖世，所向无敌，在争霸中原时，出师不利，退守孤城。中原大军久攻不克，见城外额济纳河流贯其间，便以沙袋塞其上流，断绝城中水源。守城者于城内掘井，至极深而滴水未见。黑将军被迫全力出战，出战前，把所存金银80余车连同其他珍宝倾入井中，又亲手杀死自己的妻小，以免落入敌手，然后率士卒出战，终因寡不敌众而战败身亡。中原军队攻陷黑水城后，大肆搜寻而未能见到宝藏。

关于这段历史还有另外一种说法：黑将军战败后并没有死，而是向东南方向撤退。在距今内蒙古自治区阿拉善左旗巴彦浩特不远的地方，留下了他的盔甲和战袍。这一带有传奇色彩的故事与历史事实相去甚远，但其中藏宝的传说却吸引着不少人。俄国的科兹洛夫就是因着迷于神秘的黑水城的藏宝故事而来到此处探险的。

黑水城神秘消失的传说

风沙淹埋一座城市也许需要很长的时间，但在当地却流传着这样一个故事：隋朝时，有一天天气十分怪异，忙碌的人们虽然在心里嘀咕，但都无暇深究，在沉闷的城中往返穿梭着一个白发苍苍的老人，并高声叫卖他背的枣梨：“枣梨！枣梨！”虽然老人叫卖得非常起劲，但由于他的要价太高而无人问津，天黑之后，老人出城而去。

当时驻守此城的隋朝大将韩世龙听闻此事觉得十分蹊跷，百般思索之后恍然大悟：“枣梨不正是‘早离’吗？”遂果断地率领全城军民离开黑水城。果然，在人们离开不久，狂风大作，风沙从天而降，整座城池很快被风沙淹埋……这一传说还有史料记载，说在韩世龙“去后一夕为风沙所掩”。

被风沙淹埋的不仅仅是一座城池，连同黑水城一同沉睡在沙海之中的还有无数珍贵的宝物。相信有一天若对黑水城遗迹进行勘察，终会揭开这座古城神秘消失的原因。

西夏文字

探索·发现
——世界十大古墓稀世珍宝（一）

对死亡的畏惧，对鬼神的敬畏，让古代的人们对死后之事尤为看重。因此，古人留下了许多有研究价值的古墓。全球十大古墓可以说是考古界的传奇发现，现在我们一起去看一下。

奈费尔塔里王后陵

奈费尔塔里是古埃及国王拉美西斯二世最宠爱的妃子。她去世时，法老在王陵谷修建了规模巨大、建筑豪华的陵墓。三间墓室的墙壁上都绘着奈费尔塔里王后在“天堂”生活的图画。其中许多画保存完好，可是，盗墓者盗走了奈费尔塔里王后的木乃伊及其佩戴的许多珠宝。

图坦卡蒙法老墓

图坦卡蒙法老墓是埃及帝王陵中规模最小但保存最为完好的一座。当时在墓中发现了3500多件文物。其棺椁共有7层，最内层的是黄金颜面肖像人形棺，前后均用2.5～3毫米厚的金板制成，重60千克以上。黄金颜面肖像人形棺表面装饰豪华，工艺精湛，还用蓝宝石、玻璃等进行了装饰。棺内即为图坦卡蒙法老的木乃伊，木乃伊的面部佩戴着黄金面具。

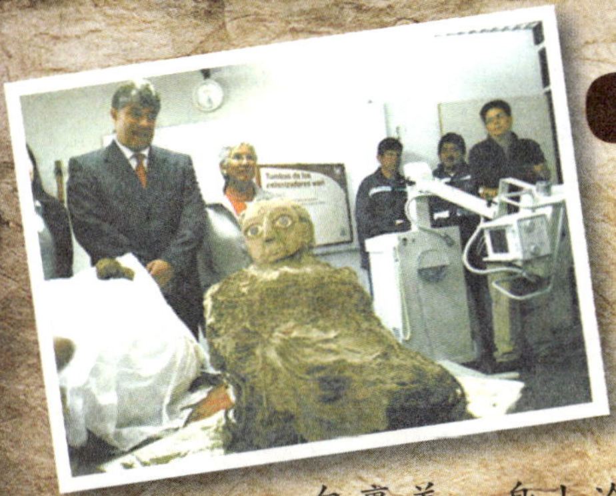

文身并身披盔甲的皇后墓

在秘鲁出土的一具莫切时期的木乃伊令人感到困惑。这名女性木乃伊下葬时身披皇家武士的所有盔甲，尸体被紧紧包裹着，身上涂抹着一种红色的矿物质，安放在一座土坯墓穴中。其身旁躺着一名陪葬的少女，散落着一顶金王冠和一只金碗。此墓是在皇家禁地一个金字塔似的山头上被发现的，据说其后人就在这里焚烧祭祀她的物品。

秦始皇陵

秦始皇陵是中国历史上第一座皇帝陵寝，规模巨大、陪葬物丰富，居历代帝王陵墓之首。秦始皇陵是中国历史上第一座规模庞大，设计完善的帝王陵园，位于今陕西省西安市临潼区城东5千米处的骊山北麓。有人说，秦始皇陵的顶部是玉石制成的，墓室内有流淌的水银组成的河流。经过了70多万劳工和工匠30多年的劳作，陵墓才得以竣工。其中许多人还被活活封闭在陵墓内，以免他们泄露有关财宝和人口的秘密。1974年，当地农民偶然发现了墓址，发掘出了陪葬的兵马俑。不过，陵墓本身一直未被打开。

巴勒莫嘉布遣会修士的地下墓穴

1599年的一天，西西里岛巴勒莫嘉布遣会的修士在一座修道院下发现了一些地下墓穴，并在墓穴中发现了一些制作木乃伊的完整工具。于是，他们决定在刚刚去世的一名修士身上试试这种技术。从那时起直到1880年这种行为被禁，制作木乃伊的风气一直在西西里岛上盛行。据统计，在这座天主教地下墓穴的墙壁上共悬挂陈列着8000多具木乃伊。

萨顿胡

萨顿胡是7世纪的一座皇家墓地，据考古发掘显示，这座墓是一条盎格鲁-撒克逊时期的快速战船，长27米，宽4.2米，中间为墓室。这是遵循斯堪的纳维亚人的丧葬方式，将人葬在船中，是为了帮助他们踏上通往冥府之路。墓内装有很多珠宝，然而在发掘这艘船的过程中，却并未发现尸体。它仅仅是一份献给已葬于别处的国王的纪念品。

萨顿胡发掘出来的头盔

第二章

纷纷杂杂的名人奇事

埃及艳后的谜样人生

传说，古埃及托勒密王国的女王克娄巴特拉七世，即后世所称的“埃及艳后”，美丽妖艳，智慧超群，政治手段高明，是一位极具传奇色彩的人物，然而她的一生也给后人留下了许多谜题。

艳后的传奇人生

公元前48年，美艳的古托勒密王国的女王克娄巴特拉七世，为了争夺自己在埃及的统治权力，将自己当作礼物送给了当时古罗马的统帅恺撒将军。因此，她成了恺撒的情人，并借势巩固自己在埃及的政治地位。后来，恺撒惨遭刺杀，不治身亡，克娄巴特拉于是失去了强大的依托。恺撒死后，他的养子屋大维及属下安东尼分别统治了古罗马帝国的西部和东部。此时，克娄巴特拉再次凭借美貌及智慧投入安东尼的怀抱，保住了自己的王位及势力，使埃及免受战火的侵袭。

公元前31年，安东尼与屋大维为争夺罗马统治权力，在亚克兴展开了大海战，克娄巴特拉出兵支持安东尼。然而，在安东尼舰队受挫之时，克娄巴特拉突然率领她的战舰撤离战场，驶回埃及的亚历山大城。因此，安东尼抛下正在战斗的部队，前去追赶她，结果在这场战役中惨遭失败。一年后，屋大维攻破了埃及并占领了亚历山大城，安东尼自杀，克娄巴特拉也被囚禁在皇宫里。此后，克娄巴特拉想要再一次用自己的魅力征服屋大维，保全自己的王位及势力。可是野心勃勃的屋大维根本不为所动。

克娄巴特拉万念俱灰，绝望地自杀了。不过，她的魅力并没有随着她的死亡而消失，她谜一样的人生吸引着后人们探讨研究。

谜题一：她为何在与屋大维的那场海战中临阵脱逃

克娄巴特拉七世为什么在安东尼与屋大维的那场海战中临阵脱逃了呢？有人说，她想考验安东尼对她的爱情，也有人说她是害怕战争失败，但是从她的性格和当时的战争形势来看，这些猜测不成立。又有人说，她是想坐观安东尼与屋大维两虎相斗，以谋取自己的政治资本，却没有料到痴情的安东尼会有此一举，最后只能自食其果。这种猜测虽然有些道理，但无从证明。

谜题二：她到底是不是自杀

有关克娄巴特拉的死因也一直备受争议。关于她用毒蛇自杀的记录，出自作家普鲁塔克的名人传记，但这位作家是在埃及艳后死去约75年后才出生的，所以他的叙述不足为信。

也有人认为克娄巴特拉是被屋大维杀死的。因为屋大维想要统治罗马，但他又担心克娄巴特拉以及她和恺撒所生的儿子会对自己有威胁，于是先杀死了小恺撒，然后除掉了克娄巴特拉，再制造出她自杀的假象，以掩人耳目。历史上关于克娄巴特拉本人的文献资料少之又少，关于女王的真实的死因也无从考证。

安徒生是王子吗

安徒生，丹麦著名童话作家。他创作的许多故事中都有王子和公主的美丽爱情故事，这些故事是在暗示自己的真实身份还是他对美好幸福生活的向往？

是王子还是平民

安徒生，1805年4月2日出生于丹麦的一个贫民家庭。近些年来，有人对安徒生的身世提出了怀疑。1975年，著有《安徒生传说》的埃利阿斯·不莱兹多夫提出观点说："安徒生所谈的家庭背景，纯属虚构。"而历史学家延斯·约根森也写了一本名为《安徒生——一个真正的童话》的专著，称安徒生是丹麦国王克里斯蒂安八世和劳尔维格伯爵夫人的私生子。他出生后，被送到欧登塞的一个鞋匠家抚养。

谜一样的身世

这些观点之所以会出现，是因为安徒生出身低微，却能结交名流，往来于上流社会，出入于皇家剧院，他甚至还在皇家宫殿中居住过。1838年，安徒生获得丹麦政府的非公职津贴，这也足以证明他与王室有着密切的关系。

1990年，在安徒生故乡的欧登塞大学，几百名学

者举行了听证会，共同探讨安徒生的身世之谜。虽然有些专家提到有明确资料记载：1805年4月2日星期二凌晨1点，鞋匠汉斯·安徒生和他的妻子安娜·安德斯达特喜得贵子。此外，历史学家查阅了大量关于国王克里斯蒂安的档案资料，却没有发现关于安徒生的资料。基于以上疑问，时至今日，安徒生的身世仍然是具有争议的谜团。

《卖火柴的小女孩》绘画

拿破仑之死

拿破仑·波拿巴，人称“奇迹创造者”。他是军事家、政治家、数学家、法兰西共和国第一执政者、法兰西第一帝国皇帝、意大利国王、莱茵联邦保护者、瑞士联邦仲裁者。

一代枭雄

法兰西第一帝国垮台后，拿破仑被英国人囚禁在圣赫勒拿岛上。他在那里度过了生命中的最后6年，于1821年5月5日去世，当时的尸检结果是胃癌导致了拿破仑的死亡。不过随着时间的流逝，越来越多的证据证明，拿破仑死得蹊跷。

谁下的毒手

1982年，一个瑞典医生宣布拿破仑其实是死于慢性砷中毒。据这位医生透露，他经过近20年的研究发现，拿破仑在患病期间的所有症状和慢性砷中毒的症状完全一致。如果拿破仑真的是死于砷中毒，那么这场阴谋背后的黑手是谁呢？有人怀疑是英国政府，但对于英国人来说，当时的拿破仑已经不具威胁了。也有人认为是他的侄子路易·波拿巴，但是谁能证明他曾经派人去毒害自己的伯父呢？还有人认为，当时在圣赫勒拿岛上死去的只是一个替身，拿破仑本人已经逃走了。拿破仑的死因到底是什么呢？至今，人们仍在议论纷纷。

荷马及《荷马史诗》之谜

古希腊最伟大的作品，也是西方文学和史学中最伟大的作品——《荷马史诗》，相传为一位名叫荷马的盲人诗人所作，不过从《荷马史诗》超长的篇幅和语言特色来看，并非一时一人之作，而是由很多“作者”共同创作完成。

《荷马史诗》的内容

《荷马史诗》包括两部，分别是《伊利亚特》和《奥德赛》。

《伊利亚特》取材于希腊神话中“不和的金苹果”的传说，叙述了特洛伊战争第10年中50多天里发生的事。

《奥德赛》的故事发生在特洛伊战争之后的10年。特洛伊战争中为希腊联军献“木马计”的奥德修斯因冒犯海神波塞冬而在海上遇难，滞留异乡，他以无比的英雄气概克服种种困难，终于回家和妻儿团聚。

阅读《荷马史诗》

《荷马史诗》的作者之谜

约在公元前7世纪留下来的一首古诗中曾经有过这样的记载：“（荷马是）住在契奥斯岛（爱琴海中一个岛）的一个盲人。”可是这种说法无法考证，一直受到文学界的怀疑。关于荷马的生平事迹，只能从《荷马史诗》中寻找线索。不过，有一点是可以确定的，荷马是古代希腊在公众场合表演吟诵诗歌的人，即古希腊人所称的“吟唱诗人”。因为在荷马时代之前，希腊人不会使用文字，故事传说只能凭借口头传播。

就在公元前8世纪，一个天赋极高的吟唱诗人出现了，他汇集了大量累积下来的口传诗歌，整理后用文字记述下来。但这两部史诗的语调和主题的差异很大。比如，《伊利亚特》描写的主要是战争第10年中50多天里发生的事，主要围绕战争展开；《奥德赛》所述事迹则长达10年之久，描写幻想和神仙魔鬼之类的内容较多。从这点来看，《荷马史诗》并不是出自一人之手。而且，之后的吟唱诗人又在之前的史诗上做了新的补充及润色。这明显可以看出当时是有人统一指挥，《荷马史诗》才得以形成。那这个人是谁？为何没有记载？原因是什么？这些疑问还将继续困扰人们。

《奥德赛》中的故事场景

苏格拉底为什么娶悍妇

苏格拉底，古希腊著名的思想家、哲学家、教育家。除了他的身份外，他还做了一件出名的事情：娶了一位悍妇。

苏格拉底为何人

苏格拉底和他的学生柏拉图，以及柏拉图的学生亚里士多德并称为“古希腊三贤”，被后人认为是西方哲学的奠基者。苏格拉底出生于希腊雅典一个普通公民家庭。他一生都过着艰苦的生活。但他自学成才，并分文不取地传授知识、道德，到处找人探讨真理和智慧，把自己当作神赐给雅典的礼物，是神之使者。当然，他的所作所为也无愧于此美称。

拉斐尔油画《雅典学院》，中间讨论的两人是苏格拉底和柏拉图

苏格拉底的悍妻

苏格拉底的妻子是个有名的悍妇，常常无事生非，对苏格拉底肆意责备、无理漫骂。有一次，苏格拉底正和学生们讨论问题，他的妻子突然闯了进来，不由分说就大骂一通，随后又提起一桶水猛地浇在他头上，把苏格拉底的全身都弄湿了。弟子们以为恩师一定会勃然大怒。可出乎意料的是，苏格拉底笑了一笑，自嘲地说道："我是知道的，打雷过去，一定会下雨的。"

苏格拉底的悍妻

由此可见，苏格拉底在日常生活中是有诸多烦恼的，但他却成了哲学家。大概痛苦会让人思索人生的意义吧！所以，苏格拉底深有体会地说："务必要结婚。娶个好女人，你会很快乐；娶个坏女人，你会成为哲学家。"

苏格拉底为何娶她

关于苏格拉底为何娶悍妇，主要有两种观点。一种观点是，苏格拉底热心追求真理，对女性不感兴趣，所以对女性是敬而远之的；另一种观点是，苏格拉底愿意娶悍妇的原因是他认为如果自己能教导好她，便能教导好所有人。究竟哪一个更接近真相呢？苏格拉底娶悍妇是出于对女性的敬畏，还是要以哲人的头脑教导她？这些疑问我们都不得而知。

《苏格拉底之死》

令人困惑的艺术家米开朗琪罗

米开朗琪罗不仅是伟大的雕刻家、画家，而且是一位杰出的建筑师和诗人。他是欧洲文艺复兴时期雕塑艺术方面最具代表性的人物。然而，生活中的米开朗琪罗却被称为“怪人”。人们都把他看成一个孤芳自赏、性格乖僻的人物。

米开朗琪罗画像

孤僻的性格之谜

人们一般能够理解艺术家的小怪癖，但是米开朗琪罗独特的性格至今让人津津乐道。米开朗琪罗是一个孤独的创作者，他在创作的时候，不允许任何人在旁围观，否则他的思维就会受到干扰。米开朗琪罗总是表现得举止粗俗，和人群格格不入，也不愿意参加社交活动。他只和几位严肃人士来往，更遑论和别人成为朋友。

米开朗琪罗作品《哀悼基督》

米开朗琪罗对自己作品的苛求也是让人们津津乐道的话题之一。他塑造过千千万万的形象，但是从来没有忘记过其中的任何一个；一旦发现作品中的任何错误，他就会立刻舍弃已经花费大量心血的作品，重新创作；不管是什么细枝末节，他都不信任别人，甚至亲手为自己制作锯子、雕刀等雕塑工具。米开朗琪罗究竟为何养成了这样的性格，谁也不知道，但也许正是这样独特的性格，助益了他艺术创作的热情，让他为后世留下了许多宝贵的艺术财富。

《多尼圆形画》

终身未婚之谜

有人认为米开朗琪罗之所以终身未婚，是由于他其貌不扬，很自卑。在文艺复兴这样一个讲究容貌漂亮和仪容的时代，米开朗琪罗是个不太受人欢迎的人物。他中等身材，双肩宽阔，躯体瘦削，头大，眉高，两耳突出面颊，脸孔长而忧郁，鼻子低扁，眼睛虽锐利却很小。可以说，他的长相非常糟糕，不讨人喜欢。

当然也有人说，米开朗琪罗之所以终身未婚，是因为他对女人完全不感兴趣。但真相究竟是怎样的，还有待后人去努力解开。

米开朗琪罗设计的圣彼得大教堂圆顶

音乐大师贝多芬死亡之谜

《月光》《命运》《欢乐颂》这些闻名世界的乐曲都出自贝多芬之手，然而，这样一位世界音乐史上伟大的音乐家，一生与病痛为伴，饱受折磨，尤其是失聪，更是几近断送了他的音乐前程。他的逝世，也成为后人解不开的谜题。

长期酗酒损坏身体

贝多芬在55岁时，患上了严重的肝病。人们认为，这是他长期酗酒所致。但是一位英国医生对这种看法提出了异议。他认为这位音乐家的许多病痛都是由一种少见的风湿病引起的，这种少见的风湿病会使身体的每个器官发炎，并逐渐侵袭全身。最后，贝多芬被这种风湿病引发的并发症折磨致死。

长期的烦扰，最终致病

另有一些研究人员试图从贝多芬的家庭关系上来揭开音乐家的死亡之谜。贝多芬有一个侄子卡尔，经常来烦扰他，大大损害了他的健康，给他的精神带来了莫大的痛苦。

在他死前不久的一天，他的侄子来信说自己在维也纳被牵连进一桩麻烦事中，只有伯父出面才可以帮他脱离困境。贝多芬接到信后立即徒步上路前往。路途中，寒气侵骨，他感染风寒，最终引发肺积水。医生说他已危在旦夕。之后不久，他被检查出肝硬化，有些专家因此说贝多芬是被侄子气死或逼死的。

关于贝多芬的死因，后人一直猜测纷纷，争论不休，其实已经没有必要继续探究了。他面对病魔的顽强，以及在音乐上的成就，已足够我们对他无比敬仰了。

达·芬奇神奇的创造力源自何处

达·芬奇是欧洲文艺复兴时期的伟大先驱，他不仅在绘画、雕塑等艺术领域取得了极为丰硕的成果，而且在物理、数学、解剖学、地质学、天文、建筑、工程制造等方面都有很高的造诣，被后人视为“文艺复兴时期最完美的代表”。这不禁令人好奇，他的神奇的创造力是与生俱来的吗？

达·芬奇画作《基督受洗》

达·芬奇的传奇

达·芬奇从小就表现出绘画天赋，14岁时，父亲将他送往佛罗伦萨，师从著名的艺术家韦罗基奥，开始系统地学习造型艺术。韦罗基奥的作坊是当时佛罗伦萨著名的艺术中心，经常有意大利人文主义者在这里聚会，讨论学术问题。在这里，达·芬奇结识了一大批知名的艺术家、科学家和人文主义者，开始接受人文主义的熏陶。20岁时，达·芬奇已有很高的艺术造诣，绘画的成就尽人皆知。但是达·芬奇在科学方面的成就更是让人叹为观止。他反对传统的“地球中心说”，认为地球不是太阳系的中心，而是一颗绕太阳运行的行星，他还认为月球本身不发光。在物理学方

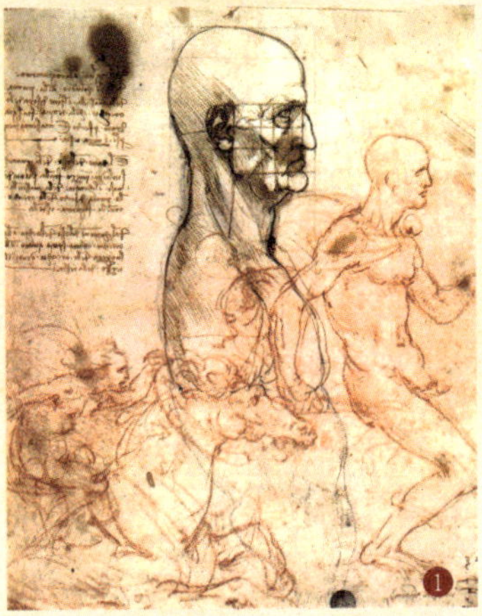
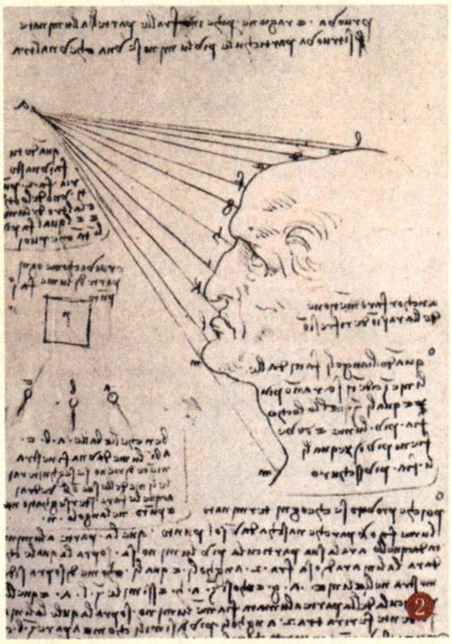
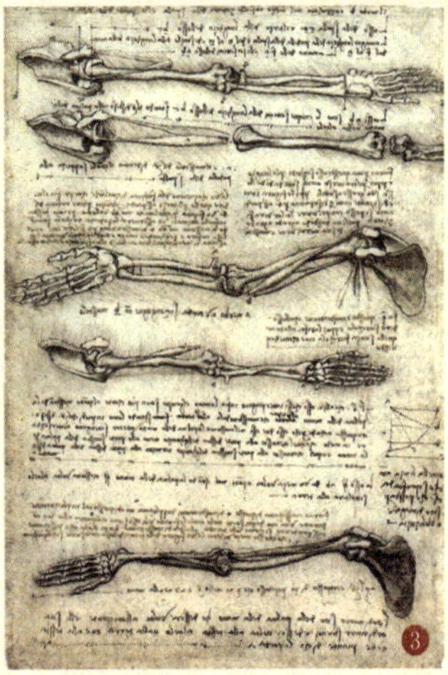

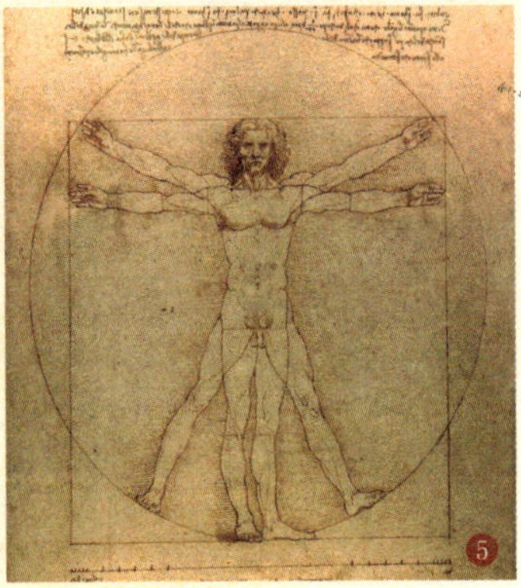
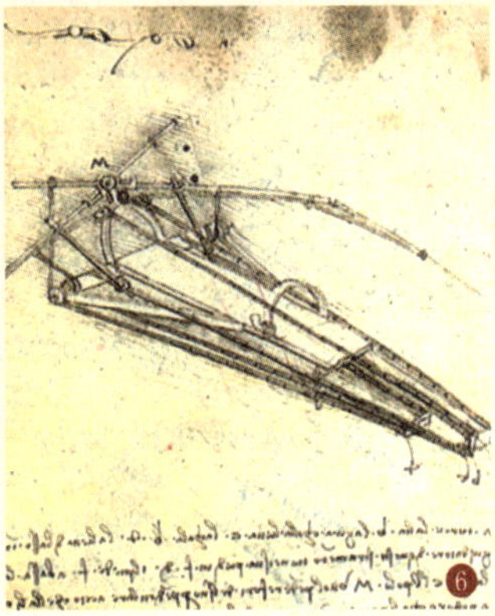

面，达·芬奇重新发现了液体压力的概念，提出了连通器原理。达·芬奇在生理解剖学上也取得了巨大的成就，被认为是近代生理解剖学的始祖。他发现了血液的功能，认为血液对人体起着新陈代谢的作用，并认为血液是不断循环的。他对机械世界痴迷不已：水下呼吸装置、拉动装置、发条传动装置、滚珠装置、反向螺旋、差动螺旋、风速计和陀螺仪……达·芬奇将他的无数的奇思妙想呈现在世人面前。达·芬奇还设计了一种密码筒，设计出初级机器人，甚至点燃了现代汽车发明的灵感……有人用计算机分析了他一生的丰硕成果，结果令人大吃一惊：若要完成他全部的绘画、雕塑、学术研究和各种发明等工作，就算一刻不停地做，至少也需要74年的时间，而达·芬奇只活到67岁。那么他是如何完成这么多工作的?

图注

❶ 达·芬奇医学解剖稿
❷ 达·芬奇研究光对视线的影响
❸ 达·芬奇医学手稿
❹ 达·芬奇自画像
❺ 维特鲁威人比例研究
❻ 达·芬奇设计的飞行器

一个人还是两个人

达·芬奇的社交圈非常狭小，只有一个仆人托马兹·玛奇尼。托马兹·玛奇尼时刻跟随在达·芬奇左右，他阅历十分丰富，曾到过东方，受到过东方圣人和统治者的接见，还带回了大量的古阿拉伯和古埃及的书籍。据说，他是一位优秀的水力专家、雕刻家、机械师。但是他出身低贱，位低言轻，故而不为人们所知。因此有些学者认为：托马兹·玛奇尼是达·芬奇的有力合作者。但大多数历史学家对这一观点并不认同，他们认为托马兹·玛奇尼这个人物是后人杜撰出来的。

也有人对达·芬奇一生的传奇性创造表现出不以为意的态度。他们觉得达·芬奇所谓的科学创造，只不过停留在构想阶段，与真正的科学发明有着本质的区别。但是，持这种观点的专家不得不承认，达·芬奇是一个集天才和勤奋于一身的奇才。而这样的奇才在人类历史上实在太少，以至于人们难以置信！

图注

1 母与子
2 圣安娜与圣母子
3 抱银鼠的女人

哥伦布发现新大陆是阴差阳错吗

哥伦布是意大利的航海家、探险家，是地理大发现的先驱。他一生从事航海活动，是第一个到达美洲的欧洲人。

发现新大陆

哥伦布诞生于意大利热那亚，他从小最爱读《马可·波罗游记》，从书中得知，中国、印度这些东方国家十分富有，于是便希望能够到富足的东方去看看。在西班牙国王斐迪南二世的鼎力支持下，1492年8月3日，哥伦布离开了西班牙的巴罗斯港，开始远航。这是他横渡大西洋的一次壮举。在这之前，谁都没有横渡过大西洋，不知道前面是什么地方。经过两

个多月的海上航行，哥伦布一行人终于到达了美洲的巴哈马群岛。他一生之中先后四次出海远航，开辟了横渡大西洋到美洲的航路。

当人们提起美洲的时候，总会提及哥伦布，然而，当时哥伦布并不承认自己发现的是美洲大陆，认为那是亚洲的印度。

哥伦布到达美洲大陆

阴差阳错还是故意为之

很长一段时间，人们都认为哥伦布是阴差阳错地发现了美洲大陆，但后来人们逐渐对这种说法产生了怀疑。哥伦布为何会犯下这种错误？当时有大量的证据显示他发现的地方并非亚洲，他为什么在此情况下还一再坚持说他发现的地方就是亚洲？

在一些历史学家看来，哥伦布从没想过要去亚洲，他的雄心勃勃的“印度计划”只是为了引开其他探险家的注意力，这一切只是他精心设计的一个障眼法。他们认为哥伦布的目标从一开始就是去发现新大陆。

时间已经过去几百年了，哥伦布的初衷是什么都已经不重要。无论如何，美洲大陆的发现为人类文明史增添了重要的一笔，意义十分深远。

牛顿精神失常之谜

牛顿是英国皇家学会会长，英国著名的物理学家，被誉为百科全书式的“全才”。在力学方面，牛顿提出牛顿运动定律；在天文学方面，他发明了反射望远镜，初步考察了行星的运动规律；在数学方面，牛顿发展出微积分学。然而，1693年，刚刚50岁的他却突然精神失常，两年后才有所好转。这是怎么回事呢？

长期用脑过度

一些学者认为，牛顿之所以精神失常是因为长期紧张工作，用脑过度，于是，在外在因素的刺激下引发了心理问题。另外，1677年，牛顿的恩师巴罗和皇家学会干事巴格相继去世，这使他长时间处于悲伤、低落的情绪中。而1689年母亲的逝世更使他陷入痛苦的深渊。再加上一场无情的大火将他花费多年心血凝聚成的重要论文原稿全部烧毁。这一切对他的精神造成了沉重的打击。在这一系列打击面前，牛顿精神失常也就不足为怪了。

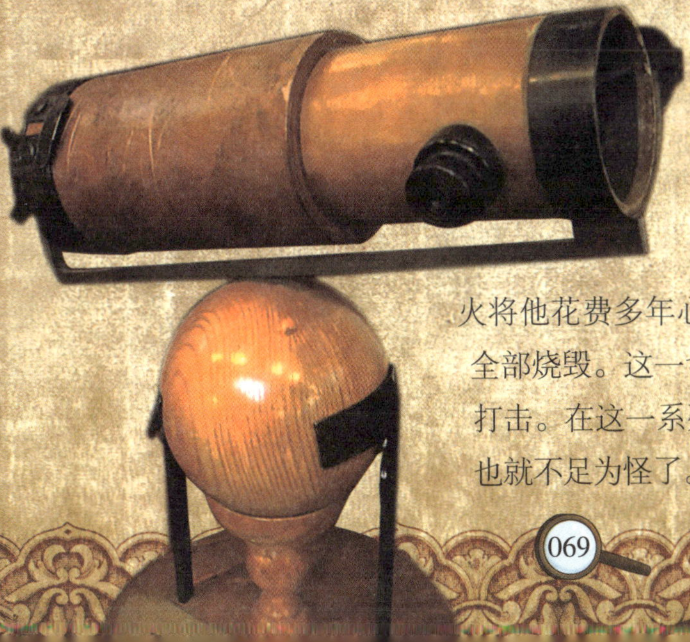

重金属元素超标

曾经有两位研究牛顿生平的学者获得了牛顿遗留下来的几绺头发。他们发现牛顿头发中含有高浓度的有毒微量金属元素，其含量高出正常人许多倍，尤其是他体内汞的含量超出正常值的20倍。许多学者由此断定：牛顿由于长期进行物理、化学实验，经常暴露在一些含有有毒金属的蒸汽中，尤其是长期接触汞而最终导致汞中毒。因此他们推测，是汞中毒引发了牛顿的精神失常。

但经过学者们的一系列调查，并未发现牛顿在发病期间出现过牙齿脱落、手指颤抖等汞中毒的迹象。因此，他们认为，牛顿精神失常缘于汞中毒这一说法并不可靠。

导致牛顿精神失常的确凿原因，还有待科学家们进行更为深入的研究方可知晓。

画家笔下的牛顿

小人儿国之谜

白雪公主和七个小矮人的故事家喻户晓，小矮人因帮助白雪公主而久享盛名。但是，小矮人究竟家住何处？他们的国家又在何方？世上真的有小人儿国吗？

恐怖的习俗

你见过拳头大小的头颅吗？传说，在南美洲的安第斯山脉中生存着一个身材矮小的种族—“小人儿国”，那里的人拥有强健的体魄和令人称奇的战斗技巧，所以能在危机四伏的原始森林里繁衍生息。他们有一种极为恐怖的习俗，那就是把敌人的头颅通过一种神秘的制作方法缩成拳头般大

非洲矮人族

小并且保持样貌不变。这种残忍的习俗惹怒了神灵，最终，恐怖而神秘的小人儿国灭绝于神灵的降罪之下。

真的存在小人儿国吗？

有人根据上述传说，居然真的找到了传说中那奇特的缩头药方。拥有这种药方的人就是印第安的希巴洛奇人。他们难道就是传说中的“小人儿国”子民吗？

其实，探险家已经找到了几个拥有身材矮小子民的民族，这些民族的子民都生活在无人问津的地方，过着一种与世隔绝的原始生活，那里虽然没有战争的灾难与威胁，但他们还是面临着灭绝的危险。

川端康成为何自杀身亡

川端康成是日本文学界“泰斗级”的人物，日本新感觉派作家，著名小说家。代表作有《伊豆的舞女》《雪国》《千只鹤》等。1968年获诺贝尔文学奖，是首位获得该奖项的日本作家。1972年4月16日，自杀身亡，后人对其自杀的原因争论不休。

阴影密布的童年

1899年，川端康成出生于大阪。他的性格极为孤僻，不爱上学，但认真学习起来成绩还不错，曾以学校第一名的成绩考入府立中学——茨木中学。川端康成因《伊豆的舞女》而成名。他善于用意识流写法展现人物的内心世界。对于获奖后所带来的荣誉和涌来的慕名者，他心里十分厌恶，有人认为这与他幼年的心理封闭有关。他自幼失去父母，彼时，他尚在幼儿时期，不知哀痛。而8岁时祖母去世，11岁时姐姐夭折，让他感受到了失去亲人的孤寂与伤痛。亲人的频繁过世，让川端康成对死亡的美感，以及生与死的意义有着异于常人的理解。

川端康成在工作

三岛由纪夫

川端康成自杀的猜想之一

1970年，日本文学大师三岛由纪夫切腹自杀，不少作家赶到现场，却只有川端康成获准进入。川端前往现场观看，受了很大的刺激，他对自己的一名弟子表示：死去的应该是我。之后，川端康成又亲自主持了葬礼，说三岛由纪夫的精神仍“活在许多人心中，并将载入史册”。

1972年4月16日，三岛由纪夫自杀17个月后，川端康成也选择含煤气管自杀，未留下只字遗书。两人相继自杀留给了后人无数的疑问。有人甚至推测，川端康成之死与三岛由纪夫不无关系。但自杀而死似乎是川端康成自己早就做出的选择，因为早在1962年，他就曾经说过一些关于自杀死亡的的言论。

年老体衰，心血穷尽

川端康成为写作穷尽了一生的心血，直到73岁还笔耕不辍。他常年持续服用安眠药，对药物产生了很大的依赖性。他想要摆脱这种依赖性，于是，在某一天，突然停止了服药，却发生了戒断症状及不良反应，神志不清，昏迷不醒，被送进医院。于是有多人认为，川端康成是因为身体已经到了极限，才会选择自杀。

虽然人们有许多猜测，但是到底川端康成是因何原因而选择自杀，已经无从知晓了。

川端康成笔下有许多关于日本艺伎的描写

普希金决斗的背后

普希金是俄国著名的文学家、诗人，俄国现代文学的奠基人，19世纪俄国浪漫主义文学的主要代表人物，被誉为“俄国小说之父”。普希金的重大贡献，在于创建了俄罗斯文学语言，确立了俄罗斯语言规范。1837年2月，普希金在与丹特斯的决斗中身亡。

与丹特斯为情决斗

年轻的普希金风流倜傥，才华横溢，很早便显露其诗人才情。他在与莫斯科的绝色佳人冈察洛娃相遇后，二人便一见钟情，坠入爱河，不久之后便结为夫妻。

几年后，沙皇禁卫军军官、法国籍纨绔子弟丹特斯在一次舞会上偶然结识冈察洛娃，对她展开猛烈的追求。普希金对这位第三者气愤之极。为

了维护自己的尊严与名誉， 他毅然决定同丹特斯决斗。狡滑的丹特斯在普希金尚未准备好时袭击他，普希金身受重伤，不治身亡。

普希金之死的真相

普希金死后，人们要求惩治凶手，并且怀疑普希金是否真的是单纯地死于一场情场上的决斗。相关历史学家通过研究后认为，普希金之死完全有可能是一个阴谋。这样的怀疑并不是没有根据的，沙皇尼古拉一世在此之前，就已觊觎普希金的妻子冈察洛娃的美色。丹特斯很有可能是受沙皇指使，故意在各种公开场合引诱冈察洛娃，把普希金激怒，使其与他决斗，然后趁机把普希金杀害。但这一切终究只是猜测，普希金的陨落对俄国乃至世界文坛都是巨大的损失。

冈察洛娃

凡·高自杀是因为精神失常吗

如今，“凡·高”这个名字早已蜚声全球，成为世界著名的大画家之一，声誉至今不衰。然而，这样一位巨匠竟然在37岁，艺术上达辉煌的顶峰时，用手枪自尽而亡。

探究凡·高自杀的真相

人们在称颂凡·高的伟大、叹赏其作品的杰出时，不禁对他那悲惨的命运也关心起来。大家都不约而同地掀起了对凡·高死因问题的讨论。那么，究竟是什么原因导致他的自杀呢？人们都希望能找出有说服力的答案。

死于精神病

绝大多数有关凡·高的著述提到他的死亡原因，观点都是——死于精神疾病。长期恶劣条件下无休止地作画，严重损害了凡·高的健康，他常常受到幻觉和噩梦的侵扰，萦绕心头的忧愁和郁闷使他精神失常，最后开枪自杀。

无法承受的孤独感

也有学者认为凡·高死于沉重的孤独感。凡·高自小与父母分开，独自在学校上学。在学校里，凡·高喜欢独来独往，同学视他为“小野兽”，对他避而远之。而他与弟弟之间的不和也令他更深地陷入孤独之中。

经济拮据以致走上不归路

还有的学者指出：经济上的拮据才是驱使凡·高走向死亡的根本原因。凡·高一生穷困潦倒，在最后的10年里，他甚至只能依靠弟弟的接济维持生计。

爱情屡遭挫折

在我们探讨凡·高的死因时，不能不提他的恋情。凡·高在女人身上并没有得到幸福，他一生都在没有回报的爱情之中痛苦徘徊。爱情上屡遭挫折，最终令他终身未娶。爱情的破灭，也给他的精神带来非常大的影响。

有关凡·高自杀的观点还有很多，多少年来，世间流传着许多无法查证的奇谈怪论，这使凡·高的死因愈加复杂化了。无论是何原因，凡·高之死是他一生各种矛盾无法调和的必然结果。

探索·发现
——世界十大古墓稀世珍宝（二）

奥茨冰人

奥茨是一个生活在5000多年前新石器时代向青铜时代过渡时期的男子。1991年，德国旅行者在阿尔卑斯山厄茨河谷的一处冰川中发现了这具冰冻干尸，这是一具世界上现存的最古老、保存最好的古尸之一。研究表明，他死时的年龄在40～50岁，身高1.6米，他吃的最后一顿饭是羚羊肉和鹿肉，还有谷物和水果。

长沙马王堆

1972年，为了修建一座防空洞，中国建筑工人在长沙马王堆挖掘时发现了西汉时期的贵夫人辛追的墓室。辛追的尸体是迄今发现的保存最完好的湿尸，其面容清晰可辨，头发光鲜，皮肤湿润，肌肉有弹性，内脏器官完好。考古学家现在正想方设法地弄清楚是墓室的设计还是

古代的某种防腐处理技术使她保存得如此完好。

吼叫的狮子

一名盗墓者带着意大利警察来到罗马北部的一座小山前，山里有一座古墓，里面葬的是伊特鲁里亚（意大利中西部古国）一位英勇善战的王子。该地下墓室装饰着迁徙的鸟群和吼叫的狮子——尽管一些人声称这些“狮子”可能是鹿或马。这是约公元前700年的绘画遗迹，是欧洲最早的墓室湿壁画。警察还在墓室内发现了一把剑，一些希腊花瓶以及一辆铜制双轮战车。

庞贝古城

庞贝古城在地下埋藏了1600多年，直至18世纪中期，这座深埋于地下的古城才重见天日。19世纪60年代中期，一名考古学家意识到，灰烬中的洞眼是已腐烂的尸体留下的空间。于是，他将石膏注入洞眼内，由此得到的石膏模型呈现了人与动物在试图逃跑时被冻结的瞬间画面。

第三章

传奇惊异的巨额宝藏

洛豪德岛的海盗遗产

洛豪德岛本来只是澳大利亚一个不为人知的小岛，相传岛上藏有无数财宝。自从这里藏有宝藏的消息传开之后，这个小岛便开始热闹起来了。

海盗的藏宝之地

烧杀抢掠的海盗

相传在16世纪，西班牙人从美洲印第安人手中抢夺了大批金银财宝，不过宝藏很快又被海盗抢走了。抢回来的财宝实在太多了，海盗们只好把大部分财宝埋藏在洛豪德岛，并绘制了藏宝图。后来，这些海盗都想独吞所有的财宝，内部便发生了火并，大部分人命赴黄泉。

幸运的菲波斯

多年后，一个叫威廉·菲波斯的人无意中得到一张不知是真是假的洛豪德岛藏宝图，于是满心欢喜地踏上了充满传奇色彩的洛豪德岛。他在沙滩上发现了一丛精美绝伦的大珊瑚，更让他吃惊的是，这丛珊瑚里竟还藏着一只精致的木箱。他马上把箱子挖出来，发现箱中装满了金银财宝。菲波斯找到宝藏的消息很快就传开了，很多人都不辞劳苦地来这里寻宝，可惜他们有的葬身海底，有的暴死荒岛，有的不知所踪。这个不起眼的小岛真的有海盗留下的宝藏吗？没人能回答这个问题。

锡利群岛海底宝藏之谜

从14世纪起，英国锡利群岛的岛民便与海盗勾结，大肆劫掠过往船只上的财物，而以“联合”号 为首的英国舰队只不过是其目标之一。但是令海盗失望的是，他们并没有得到英国舰队的全部财宝。

因触礁而沉没的“运宝船”

1707年10月21日，装满了金币、银币的“联合”号及其他船只组成的英国舰队正在返航途中。船长突然感到焦躁不安，当他抬头看天时，发现天空中有一股黑色的气流呼啸着穿过云层。凭借多年的航海经验，船长知道暴

风雨就要来临。过了一会儿，整个舰队就陷入狂风巨浪之中。在生死关头，船员们发现了远处的信号灯，于是他们全速向信号灯驶去。谁知，这是海盗们为了劫掠财物而故意发出的错误信号。这些船只相继撞向了暗礁，舰队所有的人都葬身大海，船上的财物也沉入海底。

一直未现身的钱箱

海盗们也只是打捞出一部分财物。后来，英国人莫里斯在“联合”号沉没的海域打捞出1400块银币及一个珍贵的大银盘。之后，这个最大的“海上公墓”受到了很多寻宝者的青睐。然而，“联合”号舰队的钱箱却始终躺在锡利群岛水域的海底，没人能把它找出来。这个宝藏到底在哪个方位始终是一个谜。

圣殿骑士团宝藏之谜

圣殿骑士团成立于12世纪初，它最初的主要作用是保护从欧洲到耶路撒冷朝圣的人。后来由于朝圣者大量无私的捐赠，圣殿骑士团积聚了巨额的财富。

腓力四世

宝藏早被藏了起来

法国国王腓力四世对圣殿骑士团的权势非常不满，当然，他们的巨额财宝也是导致国王对其动手的原因之一。1307年10月，腓力四世向法国各地的事务官发出密函，要求他们在同一时间逮捕全国各地的圣殿骑士团成员。这次突袭非常成功。但是腓力四世并没有得到财宝，圣殿骑士团的首领早就知道腓力四世的野心，巧妙地把财宝隐藏了。

神秘符号是线索

据说，圣殿骑士团有一套独特的神秘符号，他们就是用这种符号来重新获取宝藏的。许多人都觉得圣殿骑士团的宝藏藏在法国阿尔日尼城堡里，因为有人在那里发现了刻有神秘符号的石头，也许那符号就是圣殿骑士团的符号。但是至今，人们还是不能完全破解这些神秘符号的含义，当然也就找不到宝藏了。

克里姆林宫地下藏书

克里姆林宫是俄罗斯的标志性古建筑群，享有“世界第八奇景”的美誉。在这奇景之内，隐藏着大量的宝藏。

美轮美奂的宫殿

克里姆林宫原来是俄国沙皇的宫殿，由多座高大而华丽的教堂、宫殿和多层塔楼组成。在克里姆林宫的宫墙上，五座大塔楼分别安装着玛瑙石材质的五角星，每到夜晚便闪闪发光。宫内收藏着很多奇珍异宝，这里的十字架、皇冠、盔甲、神像、餐具和礼服无不镶满了价值连城的宝石。

暴君的奇书去哪里了

俄国16世纪有一位赫赫有名的沙皇——伊凡雷帝。他是有名的暴君，据说曾亲手打死了自己的儿子。这位沙皇喜欢收藏书籍，传说他收藏了大量珍贵的书籍。

伊凡雷帝杀子

这些珍贵的书籍究竟藏在哪里呢？有文字记载，称这批稀世珍宝藏在克里姆林宫的地下室里。也有人认为克里姆林宫发生大火时这些书早就被烧光了。有关方面曾对克里姆林宫地下室进行调查发掘，但不久就被迫停止了。不过，相信这个谜总有一天会被解开。

埃及法老塞提一世的宝藏

埃及人阿里在参观埃及法老塞提一世的陵墓时说："塞提一世的宝藏就在这里！这个宝藏比图坦卡蒙的宝藏还要大得多，埋藏的珍宝也多得多！"

盗墓家族的遗言

塞提一世的木乃伊现存于开罗博物馆，他并不是由考古人员发掘出来的，而是由盗墓者挖出来的。而盗墓者就是阿里的曾祖父及祖父。阿里家族里还保存着他祖父留下的文字，上面写着，当他看到墓室的墙壁及地面全由巨石所封闭时，他便知道塞提一世的宝藏并没有被盗墓人"光顾"过。

巨石挡住寻宝之路

阿里将这个家族秘密告诉了埃及国家古文物部门，希望古文物部门能寻找到塞提一世的宝藏，古文物部门接受了他的请求。于是他们雇了工人，开始挖掘塞提一世的古墓，半年以后，雇工们好不容易挖到200米，却被一块巨石阻挡了。由于隧道非常狭窄，没有一点儿回旋的余地，所以挖开大石几乎是不可能的；如果炸开大石，恐怕这条隧道也将因承受不住爆炸的威力而坍塌。最后，寻宝工程只好不了了之，塞提一世的宝藏至今还藏在某个不为人知的地方。

“中美”号运金船之谜

这是一个关于淘金者的故事，悲情之余，还留下了难解的谜题。

“中美”号沉船

可悲的淘金者

1849年，人们在美国加利福尼亚州北部发现了金矿，来自各地的淘金者云集于此。他们每天在这里不停地翻地掘土，不停地用筛子摇晃。这种黄色金属把所有淘金者都迷住了。在每天能赚100美元的男人中，赌博和流血冲突每天都会发生。后来，这些人不愿意再过这种残酷而危险的日子，便打算乘船回家。

加利福尼亚淘金者

伴随着黄金沉入大海

1857年9月10日，运载着淘金者的“中美”号汽船从旧金山出发了，这艘小汽船上载有几百名乘客，其中有400多名是带着大批黄金的淘金者。由于汽船严重超载，又遭到了热带风暴的袭击，船破了一个大口子，并开始下沉。绝望的淘金者自发地把妇女和儿童送上了救生艇，大部分男人都选择了死亡。他们所携带的黄金也随之沉入了大海。

淘金者的故事被世人传诵着，但遗憾的是，幸存者中却没有人能确定“中美”号汽船沉没的准确方位，所以这批黄金也就永远地沉睡在了茫茫大海中。

“圣荷西”号沉船的珍宝

价值10亿美元的珍宝到底有多少？如果你能打捞出沉在茫茫大西洋中的“圣荷西”号大帆船，你就可以知道了。

装满金子的“圣荷西”号

1708年5月28日，“圣荷西”号大帆船从南美洲的巴拿马出发，向西班牙领海驶去。船上戒备森严，因为船里装满了从南美洲抢掠而来的金条、银条、金币、珠宝等财物，现在来看，这些财物至少值10亿美元。当时，西班牙与英国、荷兰等国正在交战，在海上随时会遇到敌国舰队。但自大的“圣荷西”号船长费德兹却不以为意，他认为大海这么大，他不会带着“圣荷西”号撞上敌人的。但在6月8日这天，“圣荷西”号遇上了英国舰队，炮声隆隆中，这艘装满了黄金珠宝的大船被击沉，然后让海水慢慢吞噬了。

“圣荷西”号到底沉到了哪里

从那以后，“圣荷西”号上的黄金珠宝一直被世人关注。“圣荷西”号到底沉在哪里？经多年的测定，人们只知道这艘船沉在距哥伦比亚海岸约26千米的加勒比海的海底，但始终没有人在这片海域发现它的踪迹。

“圣荷西”号

可可岛真的有宝藏吗

可可岛位于距哥斯达黎加海岸以南大约480千米的太平洋中，曾是17世纪海盗的藏宝地和休息站，著名的冒险小说《金银岛》所讲的故事就是以可可岛为背景展开的。

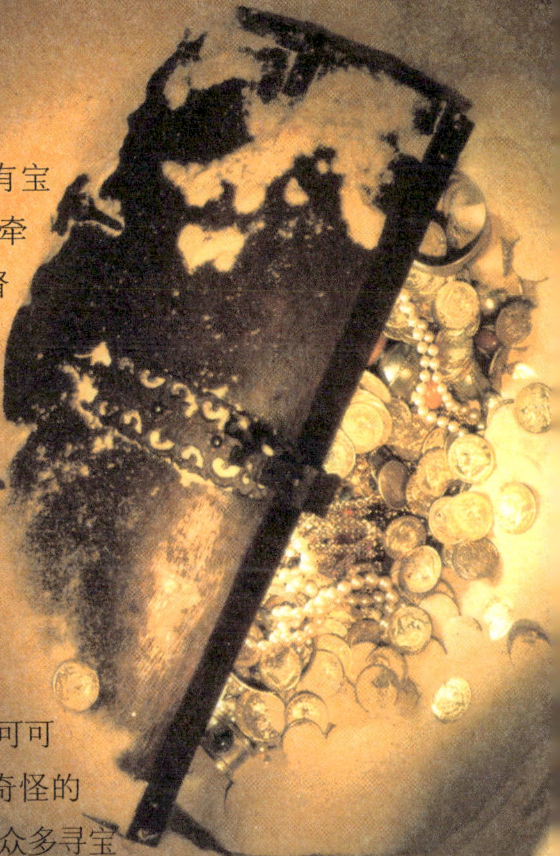

宝藏最多的小岛

据统计，岛上至少有6处地方埋有宝藏，其中秘鲁利马的宝藏最让寻宝者魂牵梦萦。1820年，秘鲁利马的西班牙总督运着他搜刮来的财宝仓皇出逃。在海上，船长把总督杀了，然后将财宝藏进可可岛的一个神秘洞穴里。据说这批财宝中有名贵的金盘、黄金烛台，以及真人大小的圣母黄金像等。

真假难辨的藏宝图

直至离世，船长一直没有机会重返可可岛取走宝藏，他只好遗憾地留下一张奇怪的藏宝图。这张真假难辨的藏宝图诱惑着众多寻宝者奔赴可可岛寻宝，但都无功而返。

1978年，哥斯达黎加政府封闭了可可岛，严禁任何人赴岛挖掘，不知可可岛上的宝藏何时会重见天日。

马丘比丘藏有黄金吗

印加帝国盛产黄金，那里的人们使用黄金就像我们使用铜铁一样普遍，生活中的方方面面都会用到黄金。在安第斯山脉中，有一个叫马丘比丘的神秘古城，据说里面藏有印加帝国的大量黄金和珍宝。

马丘比丘城堡遗址

1911年，美国耶鲁大学的教授宾厄姆来到安第斯山考察。他的足迹几乎踏遍了整个安第斯山脉的密林，后来，他终于找到了马丘比丘城堡的遗址。

马丘比丘位于印加古都库斯科城西北约110千米处、

海拔2400多米的群山之间。考古学家找不到它的原始资料，于是以附近的马丘比丘山为其命名。这座古城堡所处的地势十分险要，终年云雾缭绕，十分隐蔽，城堡内设施齐全，城内的建筑都是用浅色花岗石砌成的，每一块石头都差不多有一吨重，谁也猜不出这些巨大的石头当年是怎样被运上山的。

黄金在哪里

虽然宾厄姆发现了马丘比丘，但马丘比丘整个城堡充满着扑朔迷离的气息。最令人遗憾的是，宾厄姆并没有在马丘比丘找到传说中的黄金。难道传闻是假的吗？没有人能够解答这个疑问。

路易十六的珍宝之谜

法国国王路易十六生前是一个既无能又奢侈的人，后来被送上断头台。但他死后留下了一笔让人心动的珍宝。

珍宝藏在船上吗

关于路易十六的珍宝藏在什么地方，民间有多种说法：有人说他曾把价值20亿法郎的金币、银币及文物藏在他的行宫卢浮宫；也有人说他把大部分财宝藏在“泰莱马克”号船上，企图把珍宝转移到国外，这艘船由凯曼船长驾驶，于1790年1月3日经塞纳河，从法国里昂开往英国伦敦，在法国的基尔伯夫河下游被潮水冲断缆绳而沉没。

推翻路易十六统治的大暴乱

离奇的断缆事件

数量如此惊人的珍宝怎能不让人动心呢！1830年—1850年间，寻宝者们争先恐后地打捞这艘沉船。但在打捞过程中，一件离奇的事情发生了，所有的打捞船只都因缆绳断裂而失败。是什么原因造成缆绳断裂呢？寻宝者们百思不得其解。

路易十六

1939年，有寻宝者声称他们已找到了“泰莱马克”号沉船，但这只是传闻，并没有确切证据表明他们找到的就是“泰莱马克”号。看来，要找到路易十六的宝藏，并不是一件轻而易举之事。

羊皮纸上的藏宝图之谜

很多宝藏因为没有藏宝图而难觅影踪，可有的宝藏即使有图示，也没人看得懂。

恶海盗留下谜团

心狠手辣的大海盗拉比斯曾在印度洋和东非附近的海域抢夺了大量的黄金、白银及奇珍异宝，当法国海军占领了这片海域后，拉比斯把这些宝藏藏了起来，并杀死了所有同伙。

1730年，法国海军终于抓到了这个恶贯满盈的海盗，并决定以海盗罪把他处以绞刑。拉比斯希望以宝藏换自己的一条命，但法国政府

拒绝了他的请求。当拉比斯被套上绞索时，他突然向围观的人群扔出一卷羊皮纸，并大声叫道：“我的宝藏属于那些能真正读懂它的人！”

海盗羊皮纸图样

晦涩难解的密码

英国探险家瑞吉纳·克鲁瑟韦金斯得到了一份羊皮纸藏宝图的影印件，那上面是17排图样。经研究，他认为拉比斯的宝藏应该在塞舌尔岛，于是他用了28年的时间在塞舌尔岛上研究那17排图样，最终他破译了16排密码，但其中第12排密码却一直不能破解，直到去世，他仍没能解开拉比斯的宝藏谜团。曾经有些海盗的信件透露了宝藏的线索，但根据信件上的文字，人们只是找到一些有关藏宝地的提示，并没能找到宝藏。

地下陵寝宝藏之谜

从12世纪末开始，南美洲的一个印加人部落逐渐在秘鲁建立起一个庞大的帝国——印加帝国。传说该帝国首都库斯科的地下藏有大量宝藏。

印加国王

无意中发现的地下陵寝

据说，一个叫古特尼茨的西班牙商人探险来到古印加帝国的首都，不知道是什么机缘，他得到了印第安部落首领的信任，被带进一座国王陵寝。首领告诉他，只要他协助建设当地的公共设施，便可得到陵寝里的巨额黄金。西班牙商人毫不犹豫地答应了。但是他到底得到了多少黄金，后人无从知晓。

印加古城遗址

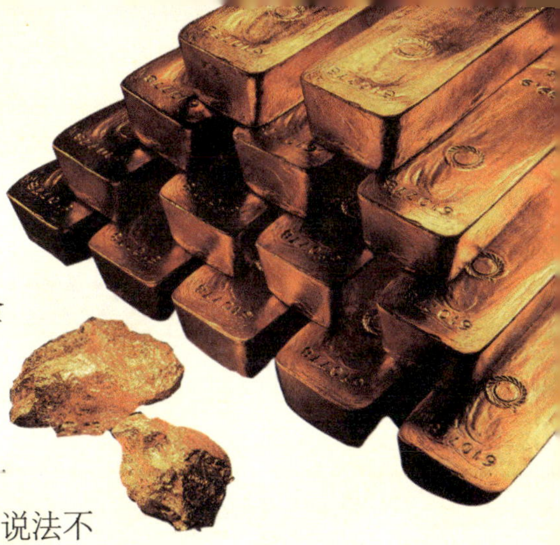

地下陵寝还有黄金吗

自从西班牙商人成功地得到黄金后，不少人怀着黄金梦踏上这片土地。有传闻说，在当地陵寝的废墟下面，隐藏着一处宝藏。这个说法不知道是真是假，但从此之后，关于地下陵寝宝藏的传闻就更加扑朔迷离了。秘鲁政府近年来对古印加帝国的地下陵墓加以保护，不允许人们随便进入，并且只派出两位经验丰富的秘鲁考古学家在此地进行挖掘及研究。到底地下陵寝下面还有没有黄金宝藏呢？如果传闻中的宝藏不存在，那么秘鲁政府又在挖掘什么呢？

印加神话中的造物神

非洲部落首领洛本古拉宝藏之谜

洛本古拉是非洲南部马塔贝莱族的部落首领，他的墓穴陪葬的珍宝传说有咒语护卫，谁也不能靠近。

财宝陪葬

洛本古拉在位期间，抗击英国殖民者失败，他便携带着大量的财宝退守北方。1894年，洛本古拉死后，人们把他及其他留下的宝藏一同下葬了。因为那些挖掘坟墓的士兵全部殉葬了，所以除了为洛本古拉选择墓地的巫师，没有人知道墓地的具体位置。4年后，巫师也去世了，从此，洛本古拉的墓地及殉葬品的下落就成了一个谜。

咒语护卫

巫师去世后，他的儿子便成了寻宝者追寻的目标，只得四处逃亡。第一次世界大战后，一位名叫勒博德的军官无意中听说了洛本古拉宝藏的传言，于是他想方设法找到了巫师的儿子，并逼他协助自己寻宝。但探宝队在进行挖掘时，不断发生各种事故，最后只得作罢。

后来又有不少人前去挖掘宝藏，企图一夜暴富，但这些人居然在飞越大西洋时就坠机身亡。当地的人说，这是巫师的咒语在保护部落首领的墓地。这个传言当然是没有科学依据的，但一直没有人找到洛本古拉的宝藏，却是不容置疑的。

马塔贝莱族和英国殖民者抗战

法国雷恩堡宝藏之谜

法国的小镇雷恩堡对于探险者来说是一个圣地，因为这里可能埋藏着巨大的宝藏。

撞大运的牧羊男孩

17世纪，法国雷恩堡附近有一个放羊的男孩，他在寻找丢失的羊的时候，发现了一条地道。男孩沿着地道充满疑惑地走了下去，发现里面竟看不到尽头。地道里幽暗阴凉，非常恐怖。走着走着，男孩竟然看见了一具具骷髅。他吓得心脏都要跳出来了，正想拔腿就跑时，却发现地上还摆放着几个奇怪的大箱子。他好奇地打开箱子——里面竟然全是金币！男孩的一家从此富有起来。

宝藏是谁的?

这些宝藏究竟是谁的？那个地道里到底还有多少金币？有人推测，这些宝藏是法国的卡斯蒂耶王后藏在这里的。还有人推测，这也许是中世纪法国的异端教派——纯洁派的财宝，因为雷恩堡曾经是纯洁派的主要据点之一。

200多年过去了，一个极偶然的机会，雷恩堡教堂的一名神甫踏入了神秘的地下古墓，但在他和他的妻子去世后，这笔财宝再次淹没在历史的洪流中。雷恩堡似乎什么事情都没有发生过，留给世人的只是一个永远也无法解开的谜。

死海库姆兰山洞的神秘古卷

死海位于亚洲西部，巴勒斯坦、以色列和约旦交界处。死海一带的空气中含有起镇静作用的溴，这样的空气最适合隐藏物品了。

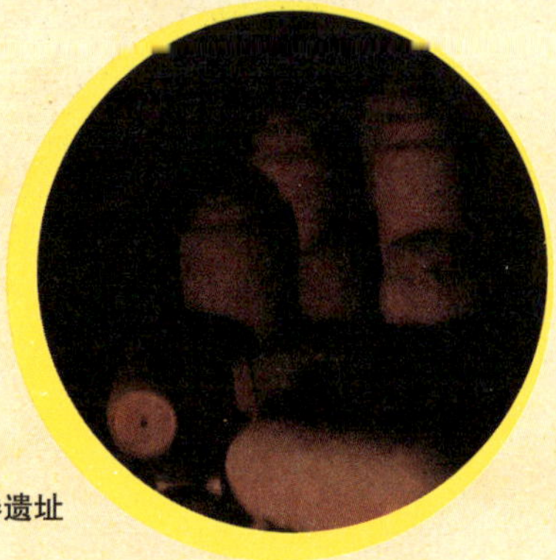

死海古卷遗址

神秘的羊皮卷

1947年，住在死海边上的一个小牧童丢失了一只羊，他到处寻找，无意中来到一个叫库姆兰的地方。然后他发现了一个狭窄的洞口，就随手扔了几块石子进去，洞里传出了打破碗一样的声音。于是，小牧童就找来了好朋友一齐钻入洞里。他们在洞里的沙土下找到了一些奇怪的陶罐，里面放着一卷卷用麻布裹着的东西，其中有用牛皮盖着的由薄羊皮条编成的11幅卷轴。他们小心地把卷轴打开，发现上面写满了密密麻麻的字。

死海古卷

几经周折，这些发霉的卷轴到了一个名叫阿塔那修·塞缪尔的人手中。他发现卷轴上记载的是用最古老的希伯来文书写的早期的基督教的经文，这就是被后人称为无价之宝的“死海古卷”。古卷已有两千多年的历史。数以万计的古卷大多是残片，有的甚至只有几厘米。经过数年整理，古卷的内容终于呈现在世人面前。但是随之而来的谜题也越来越多，是谁写下这海量古卷并封存在此？为什么要封存古卷呢？这些古卷到底是怎样被藏到库姆兰这个偏僻的山洞里的呢？关于这些问题，专家学者众说纷纭，却无定论。

寻找亚历山大的钱币

公元前327年，亚历山大大帝挥军挺进今阿富汗，取得胜利后，他下令铸造了大批金、银币。在他死后，这笔财富神秘地消失在阿富汗的群山之中。

亚历山大大帝

亚历山大钱币几次现身

1879年，几个商人在巴扎（即集市）上偶然淘到了一枚刻有年代的银币，后发现这就是亚历山大大帝散落在阿富汗深山里的钱币。1992年，人们在阿富汗兴都库什山中一个小村庄偶然发现了亚历山大大帝的钱币。这些钱币几经易手，不知所踪。

据悉，1947年和1992年，在阿富汗两次发现亚历山大的钱币，并引发了疯狂的淘金热，其中还发生了不少流血斗争事件。根据考古学家最保守的估计，这里大概挖出了350千克的金币，还有大量的银币和铜币。

钱币真的在日本人手上吗

考古学家最终只找到很少的一部分钱币做研究，大量的钱币到底去哪里了呢？据说阿富汗当时的政局很混乱，战火纷飞，多方人马都想得到这批钱币，有人抢先偷偷地把钱币运出国境，以2亿美元的价格卖给了一个日本人。有关日本人买到钱币的消息，一直没人能确认真假，因为这些钱币从此就没有在世人面前出现过。

尼古拉二世宝藏之谜

据传，罗曼诺夫王朝被列宁领导的红军一举推翻了专制统治之后，尼古拉二世的1 600吨黄金宝藏与海军上将亚历山大·高尔察克的火车一起沉入了贝加尔湖，从此宝藏便神秘消失，不见踪影。

宝藏沉没

1919年11月，鄂木斯克被红军攻占。为了保存实力，原沙皇俄国海军上将高尔察克带着重达1600吨的黄金宝藏，率部120万人横穿6000多千米的西伯利亚，准备逃往太平洋沿岸寻求日本的支持，以求东山再起。

这些黄金分别装在28列武装押运的列车车厢中，但队伍刚刚出发不久，气温就从出发时的零下30℃陡然降到零下60℃。途中，由于列车燃料耗尽，高尔察克迫不得已下令改用雪橇拉着装黄金的车厢在西伯利亚的雪地和冰面上前进。押运人马在极度严寒中纷纷死去，最终在行进到贝加尔湖上时全军覆没。这批巨额宝藏也就成了“无主物”，被遗弃在冰封的湖面上，随着湖水的解冻，它们最终和车厢一起沉入了贝加尔湖！

宝藏发掘

贝加尔湖是世界上最深、最古老的淡水湖，面积3.15万平方千米，平均深度730米。过去90多年来，无数探宝者都曾试图寻找“沙皇黄金”的下落，但都一无所获，价值连城的“沙皇黄金”便成了一个破解不开的世纪之谜。2009年，人们在贝加尔湖发现一列火车和弹药箱的残骸之后，Mir-2迷你潜艇又在昏暗的贝加尔湖湖底约400米水深处发现“闪闪发光的金属物体”。勘探人员试图借助迷你潜艇的机械臂抓住这些发光的物体，但受限于湖底松散的沙砾，最后以失败告终。

“黄金宝藏”价值700亿美元

如果1600吨末代沙皇的黄金宝藏真的沉睡在贝加尔湖湖底，那么它现在的价值已经至少高达700亿美元了！它的出现也可能会在俄罗斯政府、末代沙皇的王室后裔们以及包括英国在内的几个国家间引发财产争夺大战。首先，因为尼古拉二世的罗曼诺夫王朝垮台前，曾欠下这些国家许多没有偿还的债务；此外，虽然尼古拉二世的直系子女当年都和他一起遭到了处决，但尼古拉二世的家族后裔和王室亲戚却组建了一个“罗曼诺夫家族联盟”，过去这些年来，“罗曼诺夫家族联盟”不但要求俄罗斯政府为尼古拉二世一家平反，还要求俄罗斯政府将当年被苏俄政府没收的王室财产归还给沙皇的亲戚后裔们。

尼古拉二世

爱尔兰王室珠宝失踪之谜

19世纪爱尔兰国王威廉五世收集了很多珠宝——绿宝石、红宝石、钻石，这些珠宝都被安全地放置在都柏林城堡的贝德福德塔里，由阿尔斯特军事首脑、威廉五世的外甥及两名助手保管。

珠宝神秘失踪案

1907年6月18日，教区牧师称贝德福德塔的大门钥匙不见了。五天之后，清洁女工报告称她在工作时发现大门是开着的。接着在7月6日，她又发现了更奇怪的事情：装满珠宝的金库大门整晚都是敞开的。那天下午，牧师和威廉五世的外甥检查黄金

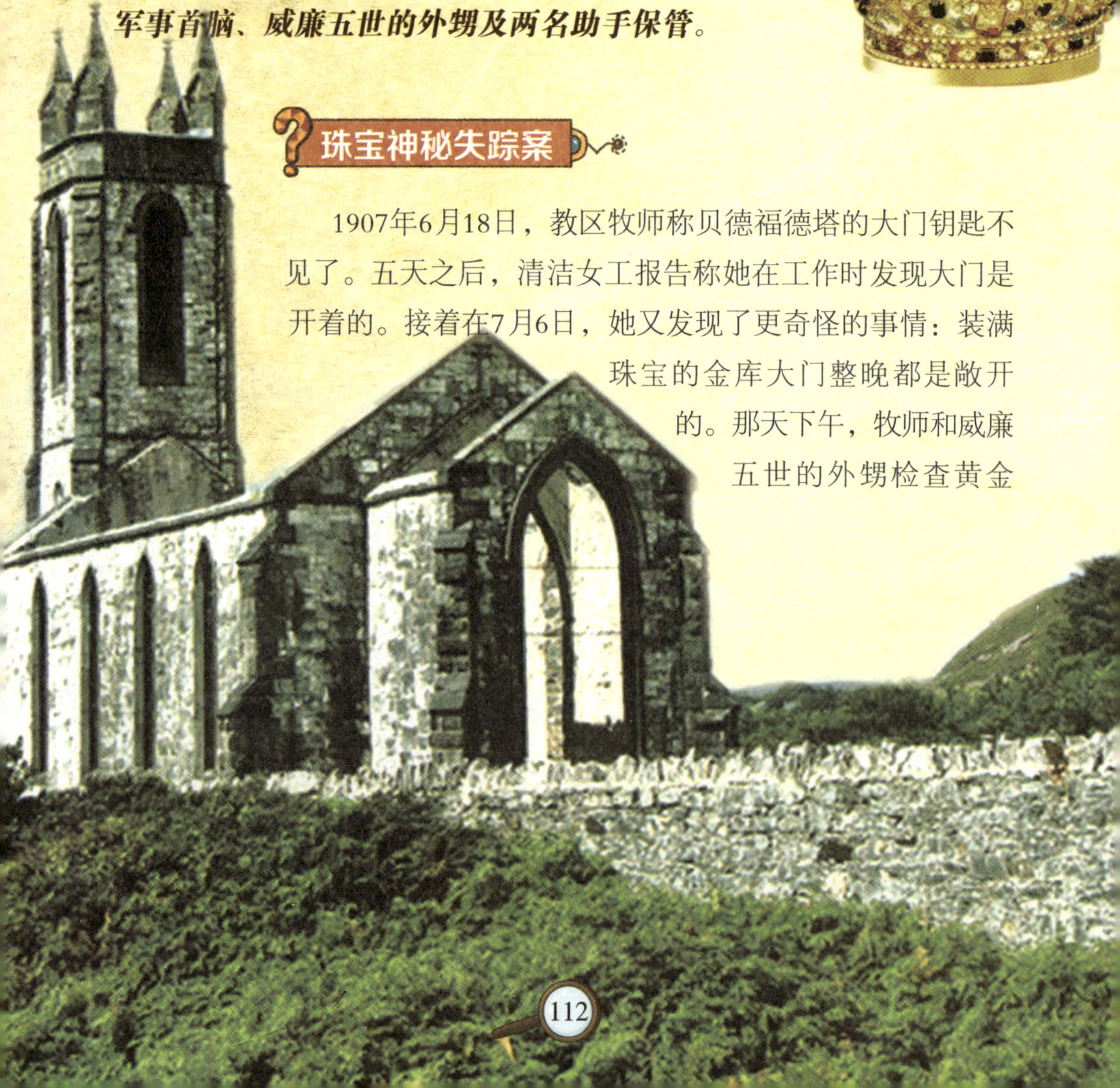

遗失的珠宝之一

并为圣帕特里克（爱尔兰圣徒）的领子装饰珠宝。这时一位门童进来，牧师将钥匙交给他并让他完成剩下的珠宝镶嵌。1分钟之后，牧师再次回到金库时，发现所有的珠宝都不见了！

警察一直没有抓到罪犯，苏格兰侦探曾经列出嫌疑人的名单，但是这份名单被压制了。之后，当时的英国国王爱德华七世认为当时的四个人都应为保护珠宝不力而负责。

十四年之后，当年的牧师死在自己的花园中，令人不解的是，他身中子弹，并被贴上了“爱尔兰共和军永远不会被忘记”的标签，但是大多数爱尔兰人民认为这位受到英国政府恶劣对待的牧师是无罪的。而爱尔兰王室珠宝再也没被找到。

亚马孙密林中的“黄金”城

曾经的印加帝国十分富有强盛，它城内所有的宫殿和神殿都用金银装饰，到处金碧辉煌，灿烂无比。那么，这些黄金是从何处而来的呢？

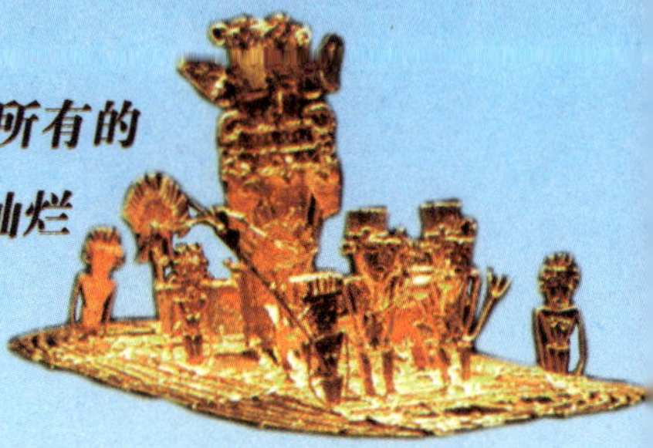

艰难的寻宝之路

1533年，西班牙人推翻了印加帝国的统治，掠夺了所有黄金宝石。西班牙统帅皮萨罗听说印加帝国的黄金全是从一个叫帕蒂的酋长统治的玛诺阿国运来的，而且那里金银财宝堆积如山，便立即组织探险队，开赴位于亚马孙密林深处的“黄金”城。然而在这个广袤无垠的原始森林里，每前进一步都意味着恐惧和死亡。这里有猛兽毒蛇，有野蛮的食人族部落，有迷失道路的威胁……一支支探险队或失望而归，或下落不明，皮萨罗也只

能遥望这片森林以想象自慰了。

随后，西班牙人、葡萄牙人、英国人、荷兰人和德国人风闻“黄金”城的消息，都想一攫千金，于是蜂拥而至，深入亚马孙密林。其中，有位叫凯萨达的西班牙人率领约716名探险队员向“黄金”城进发，在付出550条性命的惨重代价后，终于在康迪那玛尔加平原发现了“黄金”城和传说中的“黄金”湖，找到了价值约为现在300万美元的翡翠宝石，然而这仅是“黄金”城难以估价的财宝中的微小部分。

“黄金”湖

瓜达维达湖

传说中的“黄金”湖就是哥伦比亚的瓜达维达湖。据说，古代的印第安人每一位新国王登基时都要在“黄金”湖湖畔举行传统的加冕仪式。仪式当天，王位继承人要全身涂上金粉，就像用黄金塑就一样，然后在湖中畅游，洗去金粉。此时他的臣民要纷纷献上黄金、翡翠，堆在他的脚旁，这位新国王再将所有黄金、翡翠丢进湖中，作为对上帝的献礼。这种传统仪式举行过无数次，可见“黄金”湖的财宝蕴藏量大得惊人。

挖掘宝藏

自凯萨达发现“黄金”湖以来，无数的寻宝人不远万里来到亚马孙密林深处的“黄金”湖打捞黄金。1545年，一支由西班牙人组

“黄金”湖打捞出来的宝物

印第安人

织的寻宝队，在3个月的时间内就从较浅的湖底捞起了几百件黄金制品。为了获得更多的黄金，英国一家公司甚至动用大型机械设备，挖了一条地道，再用抽水设备抽干了“黄金”湖里的水，但湖底的泥浆很快就被太阳晒成干硬的泥块，于是他们又从英国运来钻探设备，可惜等设备运到，“黄金”湖又重新充满了水。这次打捞事件可谓代价惨重。

后来，哥伦比亚政府为了保护“黄金”湖中的宝藏，出动军队来防范那些捞宝人，从此再也无人能够接近这批宝藏。神秘的“黄金”湖到底有多少宝藏，便成为一个无法揭开的谜团。

消失的荷兰人的金矿

在美国亚利桑那州的“迷信山”有一座金矿，这座金矿最初是被印第安人发现并作为秘密保守下来的。

消失的荷兰人金矿遗址指示牌

发现金矿

“迷信山”的金矿之所以被称为“荷兰人的金矿”，是因为在19世纪有很多被认为是来自荷兰的探险家来到这里。而其中有两位实际上是德国探险家雅各布·华兹和雅各布·韦瑟，他们在墨西哥小镇的一次打架事件中救了一个叫唐·米格尔·珀拉塔的人。作为回报，唐·米格尔·珀拉塔告诉了这两位探险家一个有关家族金矿的秘密，接着三人根据珀拉塔家族地图寻找到了金矿，三人得到了价值约2万美金的金子。

迷信山

采矿人的离奇失踪

随后，珀拉塔将地图和金矿出售，出售条件是得到金矿收益的一半。在接下来的20年里，两位德国人继续在金矿采掘黄金，但是灾难还是发生了。一天晚上，华兹回到营地时，发现韦瑟不见了，几经寻找，只发现了血衣和印第安人的箭头。

1880年，金矿再次被两个年轻的美国士兵发现，离开时他们背包里装满了黄金。但当他们第二次去时就再也没有回来。后来一个调查小组被派过去进行调查，他们发现两名士兵被射杀了。之后有关金矿的故事到处流传并不断被润色修饰。现在这片区域属于国家公园，并被禁止采矿，但是这并不能阻止每年约8000人到那里去寻找黄金。

正在战斗的印第安人

探索·发现

——世界十大文化遗产（一）

埃及金字塔

埃及金字塔距今已有四五千年的历史，由于它形似汉字中的“金”字，因而被称为“金字塔”。金字塔本身是王陵建筑，它规模宏伟，结构精密，塔内除墓室和通道外都是实心的，顶部呈锥角。金字塔历经多次地震都岿然不动，完好无损。它被誉为世界“七大奇观”之首。

宙斯神庙

宙斯是希腊神话中的众神之神，宙斯神像所在的宙斯神庙则是奥林匹克运动会的发源地。宙斯神庙本身采用多立克柱式建筑。神殿共由34条高约17米的科林斯柱式石柱支撑着。庙前庙后的石像都是用派洛斯岛的大理石雕成。

空中花园

空中花园，又称悬园，据说采用立体造园的手法，将花园放在四层平台之上，由沥青及砖块建成，平台由20多米高的柱子支撑。园中种植各种花草树木，远看犹如花园悬在半空中。19世纪末，德国考古学家在巴比伦城遗址挖掘出一个半地下的、近似长方形的建筑物，考古学家认为这很可能就是传说中的“空中花园”。

阿提密斯神殿

阿提密斯神殿是当时世界上最大的大理石建筑，占地面积达6050平方米，比一个足球场还要大。整个神殿最著名的是内部的两排大理石立柱，至少106根，每根大约12~18米高。神殿内外均由当时著名的艺术家以铜、银、黄金及象牙等材质的浮雕装饰，在华美奇丽的神殿中央有一个“U”形祭坛，摆放着阿提密斯女神的雕像，供人膜拜。

法洛斯灯塔

法洛斯灯塔位于埃及法洛斯岛的岩礁上。以白色大理石建造的法洛斯灯塔共分四层。第一层为正方的四角柱状。第二层为八角柱形，第三层是圆锥体。传说整座灯塔有140米高。灯塔通过燃烧柴油，把光线集中于后方的青铜制的反射镜，光线旋转360° 反射出去照耀到大海，据说其亮度可照耀56千米外。

第四章

诡谲难料的政治风云

古罗马远征大军流落何处

一个人在世界上生活，总会留下一点儿痕迹。但是一支6000多人的军队，却神秘地消失，从此杳无音信，并成为2000多年来一直未解开的谜团，这简直让人难以置信。

6000多人神秘失踪

公元前53年，古罗马知名将领克拉苏率军远征安息（今伊朗），但最终在卡尔莱大败，克拉苏被杀。他的儿子率领6000多人拼死突围，最终成功地逃了出去，之后就杳无音信。罗马人多次搜寻，最终都无果而归。那么这支大军到底去了哪儿呢？

被西汉政府收编

据《汉书·陈汤传》记载，公元前36年，北匈奴郅支单于攻占乌孙、大宛，威胁汉朝西域地区。汉元帝派都护甘延寿和西域副校尉陈汤出兵至康居，剿灭郅支单于。汉军在康居遇到一支奇特的军队，土城外有重木城拱卫，“步兵百余人，夹门鱼鳞阵，讲习用兵”。

西汉军队把这支军队降服后，又将俘虏的士兵全部收编。后来，西汉政府又在祁连山下设立骊靬行政区，安顿了这批俘虏。如今甘肃者来寨部分村民长相明显具有地中海人的特征，被认为是这批士兵的后人。

经过研究后，历史学家认为，古罗马军队常采用构筑“重木城”防御工事和用圆形盾牌连成鱼鳞形状的防御阵式。所以这支军队可能就是卡尔莱战役中突围而出的罗马第一军团的残部。

证据并不充分

但是也有一些人持不同的意见，他们认为，“重木城”和“鱼鳞阵”并非是完全属于罗马人的军事艺术。在中国，编木或夯土为城古已有之，外城为郭、内城为城是中国古代的通制。而且，《左传》中记载，中国古代也曾使用“鱼鳞阵”，当时其名称叫“鱼丽阵”。

对于者来寨人的长相问题，一些学者认为，即使当初罗马人的确曾定居此地，经过与当地居民2000多年的通婚、融合，面貌恐怕早已大大改变，不再具有当初的特征。

另外也有人认为，这个地区外来人口一直比较复杂，很难依据当地人外貌酷似欧洲人这一证据来判定罗马人后裔生活在这里。

那么，这6000多人的军队到底去了哪里呢？看来只有当事人自己知道了。

西班牙“无敌舰队”的覆灭之谜

“无敌舰队”是16世纪后期西班牙著名的海上舰队。然而，在与英国的一次海战中“无敌舰队”却上演了一出以多负少的悲剧。

霸权之争，出乎意料

为了争夺海上霸权，西班牙和英国于1588年7月在英吉利海峡进行了一场激烈壮观的大海战。这次海战，西班牙实力强大，武器先进，战船威力巨大，舰队兵力达2万余人，号称为“最幸运的无敌舰队”。而当时英国军队规模不大，整个舰队的作战人员共有约1万人。两军相比，众寡悬殊，西班牙明显占据优势。但是，出人意料的是这场海战的结局以西班牙惨遭毁灭性的失败而告终，“无敌舰队”几乎全军覆没。

“无敌舰队”为何覆没

为什么强大的“无敌舰队”竟然在寡弱的对手面前不堪一击，一败涂地呢?

一种说法是，西班牙的强盛只是表面上的暂时的虚假繁荣。西班牙国王腓力二世加强专制统治，搜刮民财，连年征战，专横残忍，挥霍无度，激起了广大人民的愤恨，国内危机四伏。这次战争本来就是不得民心的。

一种说法是，指挥失当。有学者认为“无敌舰队”的惨败是腓力二世用人不当造成的。他任命大贵族西多尼亚公爵为舰队总司令，率领舰队远征。但西多尼亚本来是一名陆军将领，根本不懂海战，对指挥庞大的舰队在海上作战毫无经验。

还有一种说法是因为天灾。有学者认为“无敌舰队”的失败是因为它遇上了天灾，而不是人祸。“无敌舰队”起航不久就遇到大西洋风暴的袭击，许多船只被毁坏，淡水从仓促制成的木桶中漏出，食物大量腐烂变质，水手们疲惫不堪，大多数步兵也因为晕船而失去战斗力。回国时，在苏格兰北部海域再次遇到大风暴，一些舰船又被海浪吞噬或触礁沉没。至此，“无敌舰队”几乎全军覆没。

虽然不以成败论英雄，但“无敌舰队”覆亡的原因值得所有的军事家深思。

罗马皇帝克劳狄是傻子吗

古罗马帝国皇帝克劳狄是罗马历史上唯一一个以“愚钝”闻名的皇帝，甚至连他的母亲也常说：“比我儿子克劳狄还傻。”

看政绩，不傻

克劳狄在位期间，多次发动对外战争，曾占领不列颠、德意志、叙利亚和非洲北部，统治着以地中海为内湖、地跨欧亚非三大洲的广大地区，并且奠定了罗马帝国官僚机构的基础。

他好读书，研究古史和文学，著有《伊特鲁里亚历史》20卷，《迦太基史》8 卷，还写过自传，可惜都未留传下来。

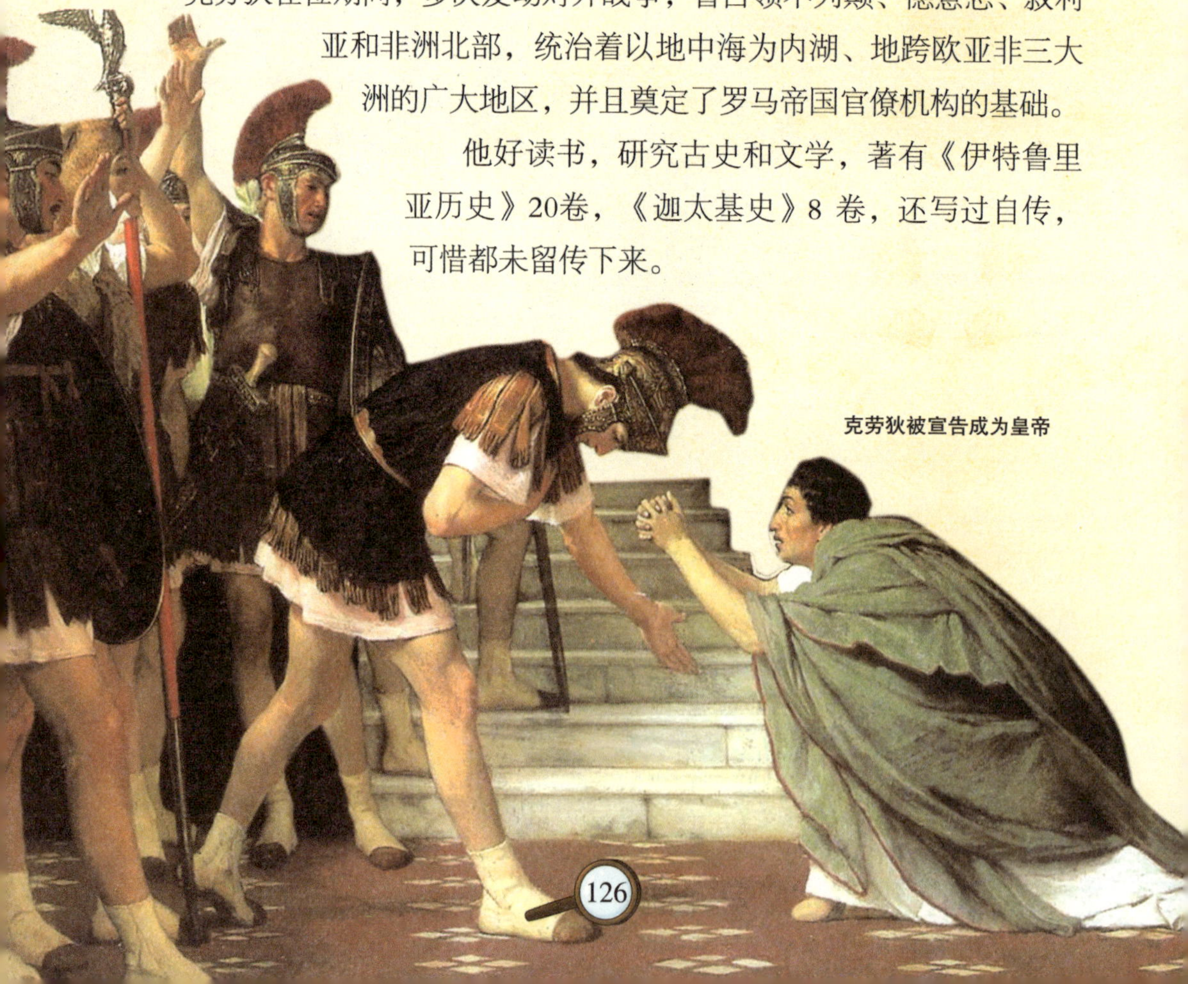

克劳狄被宣告成为皇帝

他当政时期，放弃对被控叛逆罪者的审讯，允许被放逐的元老回来，并热心与元老院合作，不压制他们的意见。他积极完善自奥古斯都以来逐步建立起来的元首制政权机构。

此外，他还亲自主持一系列大工程的建设，如疏浚奥斯提亚港，修克劳狄水道，排干福西尼湖沼泽，修建克劳狄大道，等等。

“傻”之说源于何处

在公元41年或42年的一封信中，古罗马著名哲学家塞涅卡称颂克劳狄是“恺撒之后最好心的人”，但在其后的一篇讽刺文中，他又把克劳狄描绘成一个暴君和傻瓜。他对克劳狄的评价前后矛盾，使得关于克劳狄傻不傻的千古之谜由此产生。

随后，古罗马史学家塔西佗等人也因袭塞涅卡的说法，一方面称颂克劳狄统治初年仁慈而治，将国家治理得井井有条，深为士兵和公民所喜爱；另一方面则嘲笑他是个笨蛋，毫无主见与头脑，“由他自己决断的事甚至没有他的妻子和被释奴命令的多”。塔西佗还生动有趣地描绘了克劳狄在听到其前妻死讯时毫无反

应的表情。总之，他们倾向于否定克劳狄，认为克劳狄确实是一个傻子。

古代作家中唯一肯定并赞扬克劳狄的是与克劳狄同时代的作家庞朴努斯·迈拉，他称克劳狄是“众皇帝中最伟大的”。由此可见，早在古代，对克劳狄的评价便有争论。

傻与不傻，一言难定

要搞清楚克劳狄的愚智问题，给予其正确评价，应注意两个问题：第一，克劳狄小时候疾病缠身似无疑问，但他到底患的是什么病？对其智力影响如何？这是揭开他愚智真相的关键之一。第二，文献记载和考古及历史实际所反映的情况有出入及相互矛盾的问题。

总之，克劳狄是否为傻子的问题还没有最后解决，但我们相信真相离我们并不遥远，我们殷切盼望更多的历史资料问世，更新的研究成果出现，从而还原历史的本来面目。

克里普斯二战期间为何突然访问印度

1942年春，正当第二次世界大战之际，英国下院领袖、掌玺大臣克里普斯携带解决印度问题的《克里普斯方案》，风尘仆仆地飞往印度访问。克里普斯的印度之行耐人寻味，引起学者和政界的关注和兴趣。人们不禁要问，在大战关键时刻，英国当权人物为何要采取这一行动？目前，大致有4种观点：

观点一：丘吉尔的决定

一些学者认为，这是英国首相丘吉尔本人的决策。而这一决策同当时的战局密切相关。为了确保帝国生命线——印度殖民地的完整无损，免受日军蹂躏，丘吉尔首相当机立断，派遣克里普斯访印，以此来加强英国的地位。

观点二：受罗斯福的干预

罗斯福

美国一些学者认为，这一决定主要是由于美国总统罗斯福的影响和干预。当时中美两国政府首脑出于盟国共同事业的需要，并以印度所处战略地位考虑，

1942年8月，英国退出印度运动

曾向丘吉尔频频施加压力，要求丘吉尔早日解决印度问题，以争取印度人民尽快投入反法西斯战争。

丘吉尔

观点三：工党带来的压力

二战期间，英国内部在对印度的政策问题上存在意见分歧，工党内部出现一股势头，要求丘吉尔争取印度参战，特别是克里普斯，力主改善英印紧张关系。丘吉尔害怕内阁分裂，慑于工党压力，才做出上述决定。

观点四：印度的主动要求

印度自由派的一些人士，例如萨普鲁等人联名上书，向丘吉尔直接呼吁，要求英国采取实际行动，以缓和日趋尖锐的英印矛盾。对此呼吁，丘吉尔不能无动于衷。

1942年3月23日，克里普斯一行携带他本人参与草拟的《克里普斯方案》飞抵新德里，开始同国大党领导人举行会谈。但无论是以什么目的开始这次会谈，克里普斯访印的行程最终以失败告终。

沙皇彼得三世死于皇后叶卡捷琳娜之手吗

1762年，沙皇彼得三世的皇后叶卡捷琳娜发动宫廷政变，推翻了他的统治。7月，彼得三世在距离圣彼得堡30千米的罗普舒突然死去。彼得三世因何而死？他的死与叶卡捷琳娜是否有关呢？

不得民心的彼得三世

彼得三世是彼得大帝的外孙，他本是德意志人，从小生活在德国，几乎不会说俄语。因伊丽莎白一世女皇终身未婚，并无子嗣，因此他被选为继承人。彼得三世非常崇拜普鲁士的军事制度与文化，却对俄国的一切毫无兴趣。他甚至认

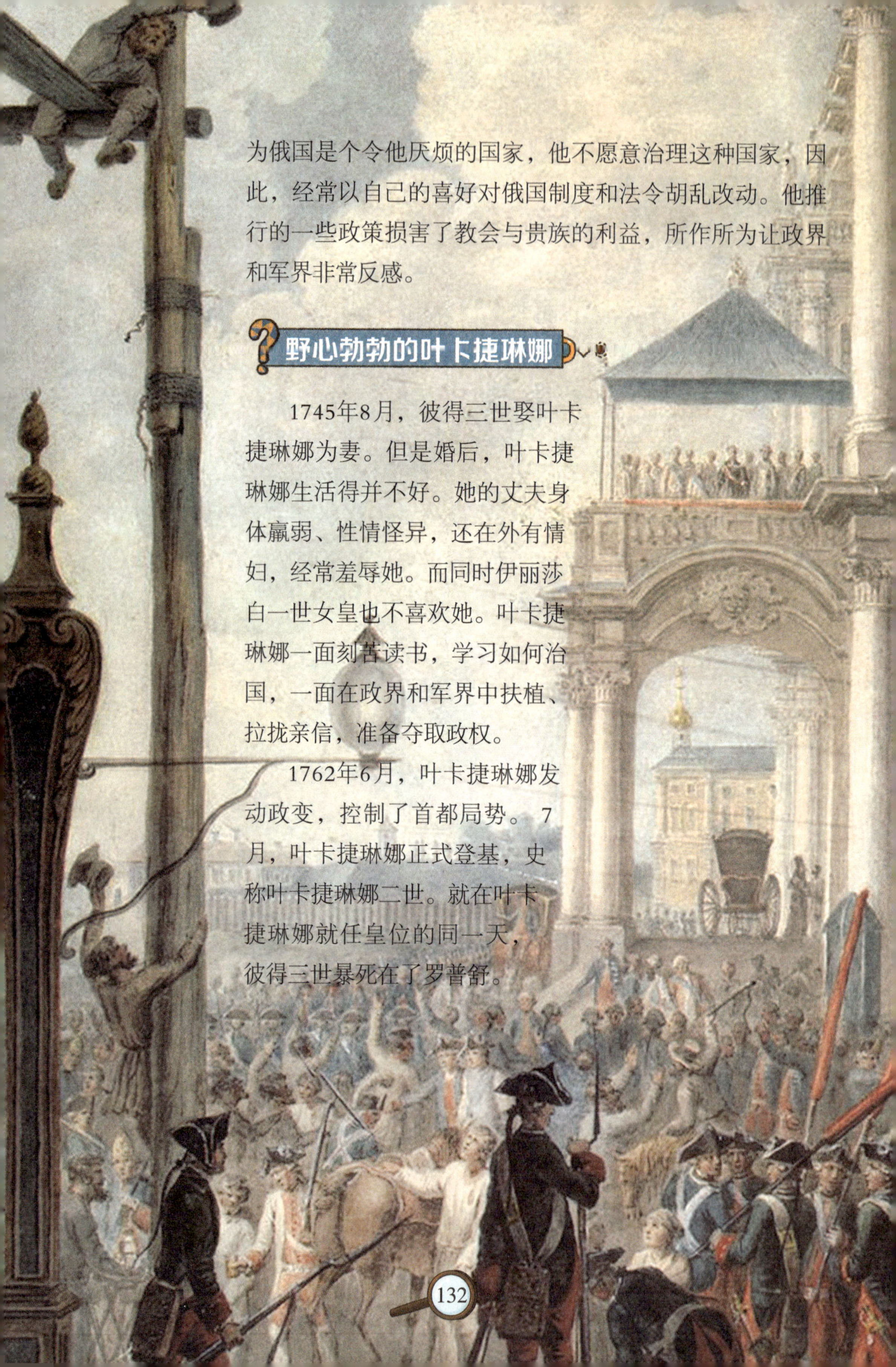

为俄国是个令他厌烦的国家，他不愿意治理这种国家，因此，经常以自己的喜好对俄国制度和法令胡乱改动。他推行的一些政策损害了教会与贵族的利益，所作所为让政界和军界非常反感。

野心勃勃的叶卡捷琳娜

1745年8月，彼得三世娶叶卡捷琳娜为妻。但是婚后，叶卡捷琳娜生活得并不好。她的丈夫身体羸弱、性情怪异，还在外有情妇，经常羞辱她。而同时伊丽莎白一世女皇也不喜欢她。叶卡捷琳娜一面刻苦读书，学习如何治国，一面在政界和军界中扶植、拉拢亲信，准备夺取政权。

1762年6月，叶卡捷琳娜发动政变，控制了首都局势。7月，叶卡捷琳娜正式登基，史称叶卡捷琳娜二世。就在叶卡捷琳娜就任皇位的同一天，彼得三世暴死在了罗普舒。

死因难定，猜测纷纷

俄国古老的封建宫廷中始终存在着阴险欺诈与不择手段的争斗，专制独裁与宫廷政变经常一起发生。彼得三世正是这种独裁政治的牺牲品。但彼得三世因何而死？一种说法称他是被人毒死的。当时法国外交部档案记载：一些人按照俄国风俗亲吻彼得三世的遗体以示告别，但之后这些人的嘴唇却奇怪地肿了起来。还有一种说法称彼得三世是在酒后与人打架被人失手打死的。第三种说法则认为，是女皇为根除后患，派人勒死了彼得三世。彼得三世的真正死因是什么？叶卡捷琳娜又在其中做了什么手脚呢？这一切都不得而知了。

叶卡捷琳娜发动政变

英王爱德华八世放弃王位之谜

在英国的历史上，流传着一个“不爱江山爱美人”的唯美故事，面对权力与地位，爱德华八世为了爱情心甘情愿地放弃了王位。

一见倾心

1931年，作为王子的爱德华八世第一次遇到沃利斯·辛普森，就被她的气质迷倒了。令人震惊的是，沃利斯竟然是一个离过两次婚的平民。当爱德华八世登上王位后，马上宣布要迎娶沃利斯。但英国王室是不允许王子娶一个这样的女人的。他的决定遭到了包括首相鲍尔温在内的谋臣们的一致反对。

爱德华八世非常坚定：“我现在考虑的唯一问题就是自己配不配当沃利斯的丈夫，和她在一起就是我永远的幸福……无论当不当国王，我都要娶沃利斯，为了达此目的，我宁愿退位。”

只爱美人不爱江山

爱德华八世对待爱情的执着，令他陷入了两难的境地。沃利斯这时也背负了“勾引国王”等骂名，她不愿因自己而使国王受到影响，便远赴国

爱德华八世和沃利斯

外，并写信给爱德华八世，提出了分手。可是爱德华八世却说：“即使因为和你在一起我会一无所有，我也没有怨言，比起你来，王冠、权杖和御座都不重要。”这爱情高于一切的誓言使沃利斯在各种诽谤、咒骂声中得到安慰。

1936年12月，在位仅10个多月、还未加冕的爱德华八世发表了告别演说，他满怀激情地说：“我的朋友们，没有我所爱的那个女人的帮助和支持，我感到不可能承担我所肩负的重任。”几个小时后，他便在皇家海军驱逐舰的护送下离开了英国，去找沃利斯了。1937年乔治六世继位，封爱德华八世为温莎公爵。

爱德华八世与沃利斯在法国结婚，并一起幸福地生活了35年。1972年，78岁的温莎公爵病逝，沃利斯在对丈夫的思念中度过了人生最后的14年。沃利斯每天都要将丈夫的遗物整理好，并一直按他生前的模样摆设整齐。

关于爱德华八世放弃王位的其他猜测

爱德华八世放弃王位的原因除此之外，还有其他猜测。真相究竟是什么，谁也不得而知。

图坦卡蒙被害之谜

公元前1352年的一天晚上，年仅19岁的古埃及第十八王朝法老图坦卡蒙离奇地死去了。他到底是不是被谋杀的，这对后人来说是一个难解的谜。

是谁谋杀了图坦卡蒙

1922年，英国考古学家霍华德·卡特和卡纳凡勋爵发现了图坦卡蒙法老的墓穴，据对墓穴的考察发现，图坦卡蒙法老生前似乎遭到了不公平的对待。因为他并没有被安葬在自己精心设计并花费10年时间修建的陵墓里，而是被葬在了另一座简陋而寒酸的墓室，其墓室中的陪葬品要比其他

法老墓室中的器物相对要少得多，甚至有从别处搬来的“二手货”。

1968年，科学家对图坦卡蒙的木乃伊做了一次X光透视检查，结果令人大吃一惊，木乃伊的头颅中有一块移位的碎骨，颅骨后面仿佛有瘀血凝结，像是受到重击后的损伤一样。更可疑的是，他的颈骨有骨折的迹象。这些线索似乎在说明图坦卡蒙死于谋杀。那么到底是谁谋杀了法老呢？

第一嫌疑人：新任法老伊特努特·阿伊

有人认为图坦卡蒙死后，伊特努特·阿伊，也就是图坦卡蒙和王后安克赫娜蒙的外祖父继任了法老宝座，并娶了自己的外孙女安克赫娜蒙为王后。所以新任法老的嫌疑最大。但问题是，以阿伊的老练，他怎么可能会在杀死自己的外孙之后，那么迫不急待地登上王位呢？那不是把自己完全暴露了吗？更何况他已进入暮年，继任王位不过三年就一命归西了。说他是凶手，真让人有点难以相信。

第二嫌疑人：司库马亚

排除了阿伊，那么杀死图坦卡蒙的凶手最有可能就是司库马亚了。身为司库，他更有机会接近法老，且如果马亚做了违法的事情，可能会激怒法老，因此借机将法老杀害。但是从史料记载看，图坦卡蒙死后，司库马亚并没有被追究责任，相反，他跟图坦卡蒙的感情极好，就连法老陵墓被盗也是他命人重新修葺并封闭的。这样说来，凶手是马亚的可能性极小。

图坦卡蒙法老遗迹

第三嫌疑人：王后安克赫娜蒙

那么会不会是王后安克赫娜蒙杀害了法老

呢？小夫妻间发生摩擦，使得她谋杀亲夫？从种种迹象来看，好像也不太可能。因为随图坦卡蒙一起安葬的还有两具婴儿木乃伊，据分析可能是图坦卡蒙和安克赫娜蒙夭折的孩子。与父亲安眠在一起，这种合葬方式代表着家庭关系极好。另外，在图坦卡蒙木乃伊身边还摆放着王后送给丈夫的花环，这应该是王后给丈夫的最后一件爱情信物。这击破了王后是凶手的说法。

最大嫌疑人：执掌军权的大将军荷伦希布

研究者发现，在图坦卡蒙死后不久，曾有一封由埃及送往赫梯王国的书信。信上写着，国王的遗孀希望赫梯国王撒皮鲁流马士一世能够选择他的一位王子前来做她的丈夫和埃及国王，不然的话，国王的遗孀有可能被迫下嫁“仆人”。然而这桩婚事并没有成功。赫梯王子赞纳扎南下埃及时，他和他的部属都离奇地消失在了沙漠中。肯定是有人除掉了他们，最后的疑点落在了执掌军权的大将军荷伦希布身上。

第一，荷伦希布与图坦卡蒙独处的机会很多，这为他杀害法老制造了有利的机会。第二，图坦卡蒙死后，他并没有急于登上宝座，这很可能是怕自己暴露在风口浪尖上。第三，在荷伦希布继任法老之后，他把阿蒙霍特普四世（图坦卡蒙之岳父）和其妻子纳芙蒂蒂以及图坦卡蒙的画像从全埃及境内的神庙壁画上铲掉，并且改建了图坦卡蒙加冕地卡纳克神庙，将属于图坦卡蒙的记载都抹去，他甚至把皇族世系表中阿蒙霍特普三世（阿蒙霍特普四世之父）后的法老都统统剔除，把自己直接放在了阿蒙霍特普三世名字的后面，由此可见他的野心，他是早有预谋的，说他谋杀了图坦卡蒙一点都不奇怪。

华盛顿为什么拒绝竞选第三任总统

在美国历史上，有一位重量级的人物，就是美国的开国元勋——华盛顿。他领导美国人民进行独立战争，使美国走上了自由的道路；他组建了合众国政府，对美国的发展做出了巨大的贡献。

华盛顿放弃竞选

1789年，华盛顿当选美国总统，1793年连任。华盛顿在美国人民心目中的地位十分高，为了表彰他的政绩，美国首都华盛顿就是以他的名字命名的。1797年，连任两届总统期满后，他拒绝参加第三次竞选，这实在令

ADDRESS OF GEN. WASHING
To the People of America,
HIS DECLINING THE PRESIDENC
UNITED STATES.

华盛顿《告别演说》

人匪夷所思。1796年9月，他发表了著名的《告别演说》，说服国会，让他卸任回家养老。至于华盛顿为何有此出人意料的决定，历史学家们众说纷纭，但一直都没有定论。甚至连华盛顿本人也没有发表过任何关于拒绝连任的原因的说明。尽管如此，历史学家们还是根据华盛顿的生平经历进行了各种猜测，其中有两种说法比较有代表性。

说法一：舆论攻击。持这种说法的人认为，舆论的攻击对华盛顿连任总统产生了重要的影响。英国的一位历史学家曾说：“由于想要空闲，由于感到体力衰退和受到反对派的谩骂而气馁，华盛顿拒绝接受要他担任第三任总统的要求。”

说法二：避免党派斗争。持这一说法的人认为，华盛顿不继续连任总统，是担心自己会卷入激烈的党派斗争中。当时美国历史上第一次出现了激烈的党派斗争，华盛顿本人也觉察到了选民中

华盛顿的出生地

间日益增长的党派情绪，因此在其告别演说中，他语重心长地呼吁团结，反对党派斗争，反对其他的分裂势力。在党派斗争中，他虽然长期保持中立，但在第二任总统后期，他失去了非党派的立场，成为一个联邦党人。在这种形势下，他中断自己的政治生涯是一个开明政治家的最好选择。

华盛顿卸任的深远影响

对于华盛顿为何拒绝竞选第三任总统这个历史之谜，到目前为止，我们无法证实哪种说法正确。但因华盛顿拒绝连任第三任国家总统，从而创立了美国总统只能连任两任的传统，对美国是有深远影响和意义的。

查理大帝的加冕是事出偶然吗

公元800年12月25日，在意大利的罗马城，发生了一件举世瞩目的大事，罗马教皇竟给一个无论从血统、外貌、教养等方面来看，都不是罗马人的国王戴上了金皇冠，加冕为“查理大帝”。

加冕皇帝

查理是位好战的国王，为了建立一个强大的国家，他长年累月率军四处征战，使法兰克王国的版图不断扩张。经过五十多次战争，查理使法兰克王国成为控制西欧大部分地区的大帝国。795年，罗马教皇阿德一世逝世，查理支持利奥三世当选为新的教皇。800年的圣诞节，利奥三世给查理加冕，宣布他为“罗马人的皇帝”，史称“查理大帝”。

查理大帝加冕

意外的“加冕”

对查理加冕一事，爱因哈德在《查理大帝传》中这样记述：查理“非常不喜欢这种称号，他肯定地说，假如当初能够预见到教皇的意图，他那天是不会进教堂的，尽管那天是教堂的重要节日”。事情结果真如爱因哈德所记叙的那样吗？许多历史学家表示不认同。他们认为彼时查理拥有至高无上的权力，他若不愿意，利奥三世岂敢违逆他。而800年时，拜占庭（即东罗马帝国）正缺少一位皇帝，查理曾与拜占庭皇后艾琳商谈联姻事宜，未能如愿。这一事实也足以表明查理对拜占庭的“帝冠”是感兴趣的。此外，从在场人在查理加冕后所表现出的拥戴和欢呼，也能看出这应该是一场精心策划的“好戏”，而非偶然。

确实事出偶然

有一些历史学家认为爱因哈德的记述是可信的。因为此人学识出色，才智过人，而且一生中大部分时间都跟随在查理大帝左右，他对查理的行为举止和宫廷内幕应该了如指掌。因此，他对“加冕”的记述，应当说是可信的。我国的有些教科书也倾向于这种观点。

伊拉克战机外飞之谜

1990年8月2日，伊拉克军队入侵科威特，推翻科威特政府并宣布吞并科威特。以美国为首的多国部队在取得联合国授权后，于1991年1月17日开始对伊拉克军队发动军事进攻，多国部队重创了伊拉克军队，1991年2月，多国部队最终获胜，伊拉克从科威特撤军。这就是海湾战争。

1991年，海湾战争中发生了一件令人费解的事件，伊拉克百架战机在大敌当前之际非但没有奋起反击，反而逃之夭夭，转飞伊朗。伊拉克飞机外飞的事件被大肆报道，一时间此事变得扑朔迷离，关于它的说法也是真假难辨。

说法一：伊拉克的韬光养晦之计

海湾战争后，为了自保，伊朗宣布中立。伊拉克借机将一些较为先进的飞机置于中立国伊朗境内，以保存实力。这不失为一个韬光养晦的好计策。

说法二：政变未遂

海湾战争场景

伊拉克在海湾战争中表现不力，多国部队节节胜利，萨达姆颜面大失，便杀鸡儆猴，将两名空军司令以“防空不力”罪处决。一些原属于这两位司令手下的空军将领及飞行员旋即发动政变，但没有成功。政变败露后，牵涉其中的一部分官员便驾机出逃，寻求政治避难。

说法三：厌战开小差

还有很多西方人士认为，伊拉克空军有可能是开小差，临阵脱逃，避免“以卵击石”，做无谓的牺牲。这一观点成为对这一事件的又一种新的诠释。

说法四：留作反击

之前有人认为这是伊拉克的一种战略，以此保存实力，好卷土重来。作战中的多国部队看到伊拉克外飞的战机，不免担忧这些外飞的战机会像一颗定时炸弹一样成为隐患。然而，外飞的战机并没有什么举动，没有卷土重来之势，这一担忧也是杞人忧天了。

对于战机外飞的说法有很多，至今也没有定论。

是谁放火烧了莫斯科

19世纪初，法国为争夺欧洲大陆霸权，决定对俄国展开军事进攻。然而，当他们抵达莫斯科时，莫斯科竟然变成了一座空城，而且占领不到一晚，它就被一场大火几乎化为灰烬……

拿破仑占领莫斯科

1812年6月，拿破仑率领近60万士兵入侵俄国，9月，抵达俄国“心脏”莫斯科。战争中，俄军死伤惨重。为保存有生力量，俄军元帅库图佐夫决定放弃莫斯科，向后方转移，伺机再同法军作战。莫斯科城里部分居民随同军队一道撤离莫斯科。9月15日清晨，拿破仑军队浩浩荡荡地进入莫斯科城，但此时的莫斯科看上去却像一座空城，除了趁火打劫的俄国农民，法军几乎看不到任何居民。占领了莫斯科后，法军士兵陷入了胜利的喜悦中，一时懈怠，忽略了即将到来的危险。

火烧莫斯科

克里姆林宫陷入一片火海

9月16日夜，拿破仑正在克里姆林宫休息，突然一名副官走到近前把他叫醒，神色慌张地说："陛下，莫斯科全城都烧起来啦！"拿破仑匆忙穿好衣服，透过克里姆林宫的窗户向外眺望，只见莫斯科全城烈焰腾空，一片火海。然而，在莫斯科城内没有任何灭火设备，法国军队眼睁睁地看着他们大部分的粮草、大炮和枪械，甚至住所化为灰烬。之后，随着严冬的来临，加上大火造成的损失，法军补给严重紧张，拿破仑不得不决定撤退。

谁改变了欧洲历史

一场看似偶然的大火，逼退了法军，但这场大火是偶然的吗？

目前，最被认同的观点是：这场大火是库图佐夫精心策划的。火灾时，蹊跷的是莫斯科城内的一切消防水龙头和灭火器具都被运走了。另外，全城各处同时起火，显然是有预谋的。库图佐夫让法军轻松入城，是为了让他们放松警惕，等待他们全部进入莫斯科后，再用大火烧掉。而那些打劫的"农民"就是纵火者。但也有人认为，法国士兵对莫斯科大火负有直接责任。当拿破仑率军入城时，那些法国士兵点蜡烛、举火把，加之他们并不了解莫斯科城内的具体情况，因粗心大意而酿成火灾。

不管起火原因究竟如何，这场大火确实改变了整个欧洲的历史。

库图佐夫

汉尼拔为何没能征服罗马

汉尼拔·巴卡是北非古国迦太基名将，也是欧洲历史上伟大的四大军事统帅之一。在与罗马的一战中，他本可以大战告捷，谁料竟遭遇惨败。

汉尼拔出征罗马

公元前218年，汉尼拔迫使意大利向迦太基宣战，第二次布匿战争爆发。汉尼拔率领军队对意大利进行大规模的军事远征，整个罗马顿时笼罩在恐慌不安中。

汉尼拔率军直捣意大利中南部，打得罗马军队措手不及，在会战中，他善于利用地形、天气变化等条件，挫败敌人，多次让罗马军损失惨重。尤其是坎尼战役后，罗马军可谓已陷入绝境，汉尼拔几乎就要征服罗马了。

然而，好景不长，罗马人很快便扭转了战局。公元前203年，罗马军队在大西庇阿的率领下入侵迦太基本土，迫使汉尼拔率军回到非洲。汉尼拔离征服罗马只差一步，为何最终功败垂成？

汉尼拔战败的原因

有人认为，汉尼拔之所以未能征服罗马，是因为共和制罗马当时正处

迦太基遗址

汉尼拔翻越阿尔卑斯山

于蓬勃发展时期，国家政治生活安定。在与迦太基作战中，大家能一致对外，作战团结、勇猛，人力、物力补给快速，因此，最终取得胜利。而迦太基内部矛盾尖锐，不能团结起来共同作战。

也有人认为，汉尼拔战败的原因是由于个人战略上的失误，没有适时地将打击重点放在攻占罗马城上。当汉尼拔取得一系列胜利后，罗马军的主力已不复存在，整个半岛的大部分地区已摆脱了罗马的控制，罗马城几乎成了孤城。如果汉尼拔能抓住这个时机给予罗马城致命一击，攻占罗马城的可能性极大。然而，他错过了这个机会，给了罗马人喘息的机会，从而导致了自己的失败。

然而迄今为止，还没有一种能使人完全接受的观点。汉尼拔为何没能征服罗马仍是个未解之谜，有必要进一步探究。

英王威廉二世真的死于意外吗

为了权势与财富，宫廷中的纷争从来不断，手足相残、杀母弑父比比皆是。因此，英王威廉二世意外丧命于狩猎场，也引起了人们的怀疑。

威廉二世

意外之箭

1100年8月的一天，黄昏时分，英王威廉二世在位于英国南部的皇家狩猎苑——新森林骑马狩猎。随行的有威廉的弟弟亨利和一些随从。

一行人分为几个狩猎小组，威廉和他的亲信沃尔特·泰尔一组猎鹿。威廉看见一只赤鹿跑过，立刻射了一箭，射中了赤鹿，但是它没有立刻死去。威廉骑在马上不动声色，想看清楚那只赤鹿的行走路线。此时，沃尔特·泰尔又射了一箭，结果碰巧射中了威廉，他向下倒去，使得箭更深地

插入他的胸膛，当时便没了气息。沃尔特·泰尔见此，马上跑出树林，逃往法国。

威廉的弟弟亨利知道此事后，并没有及时处理威廉的尸体，而是快马加鞭赶回伦敦，加冕登基成为亨利一世。

亨利一世

疑点重重找真凶

威廉之死，真如表面看上去的那么简单吗？他是不是被充满野心的弟弟谋害的呢？

威廉在兄弟中排行老二，他的父亲威廉一世在世时，把法国的诺曼底留给了长子罗伯特，把英格兰留给了威廉，只有亨利没有土地，仅仅获得一笔财富。这样看来，亨利的动机比较大。如果威廉发生意外，罗伯特远在他乡，亨利就极有可能登上王位，其后他只要对付一个哥哥，而不必再与两位兄长争夺天下。

而且，亨利从未试图抓沃尔特·泰尔回来以弑君之罪论处，甚至没有没收他的土地以示惩罚。可见，亨利谋杀威廉的嫌疑很大。但到底是不是他，还待更确凿的证据来证明。

亚历山大大帝死于谁手

亚历山大出身于新兴的王族家庭，小时候曾拜著名哲学家亚里士多德为师，受到良好的希腊文化教育；他16岁就随父出征，又学得不少军事知识。20岁继承王位，先后平定宫廷内乱，压制北方部族反叛，镇压了希腊各邦的反马其顿运动，远征波斯，占领印度西北的许多地区，驰骋欧亚非大陆，使得古希腊文明广泛传播。他是欧洲古代史上著名的军事家和政治家之一。

亚历山大大帝一生纵横无敌，用了10年时间征服了东方广大地区，建立了横跨欧、亚、非三大洲的庞大帝国。公元前323年，亚历山大大帝突然暴病而亡，他到底因何而死呢？历史学家们有着不同的看法。

第一种看法：死于恶性疾病

在《亚历山大新传》这本书中，美国学者高勒将军认为，亚历山大由于长期在沼泽地区作战而染上恶性疾病，因病致死。持相同观点的还有苏联学者基尔格叶夫和我国史学家吴子谨教授。

亚历山大大帝

第二种看法：酒醉后一病不起

亚历山大在一次酩酊大醉以后，突然发烧，从此一病不起，不久就死去了。这样的说法在《大英百科全书》中有过记载，英国著名史学家赫伯特·乔治·威尔斯也持同样的观点。

第三种看法：被毒药所害

有人认为亚历山大是被人蓄意谋害而死的。亚历山大的部将安提帕特鲁送给他一包药，由安提帕特鲁的儿子卡山德送到亚历山大那里去，正是这包药让亚历山大命丧黄泉。关于安提帕特鲁加害亚历山大的原因，有人认为这是因为亚历山大曾冤枉过卡山德的弟弟埃欧拉斯里。

究竟是什么原因让正处于事业顶峰的亚历山大大帝命丧黄泉，至今仍让人不得而知。

亚历山大大帝送葬队伍

恺撒是被他的私生子杀死的吗

关于恺撒的死因，历史上一直流传着他被私生子布鲁图刺杀而死的传言，事实果真如此吗？布鲁图真的亲自参与了刺杀行动吗？他杀父又是为什么呢？

恺撒之死

元老院议事厅刺杀事件

公元前44年3月15日，在元老院议事厅，布鲁图和卡西乌谋划了刺杀恺撒的行动。每个刺杀者都向恺撒身上捅刀时，布鲁图也在恺撒的腿部刺了一刀，恺撒对别的刺杀者拼命进行反击，并一面喊叫一面挣扎。然而当他看到布鲁图手里的匕首时，竟然默默地用外袍蒙上了头，心甘情愿地挨刺。他用希腊语说：“是你，我善良的孩子，为什么？”看来恺撒在将死

之时，仍把布鲁图当作自己的孩子。

恺撒的私生子

布鲁图到底是否为恺撒的私生子，没有任何确凿的结论。但为了说明布鲁图是恺撒的私生子，古代作家大肆渲染恺撒和布鲁图的母亲塞尔维利娅之间的风流情事。恺撒年轻时与塞尔维利娅十分要好，他们疯狂相恋，每天如胶似漆地粘在一起，而布鲁图恰恰是在他们热恋的时候出生的，因此，恺撒认为布鲁图就是自己的儿子也是有理由的。

布鲁图为何弑父

当恺撒和庞培为争夺最高权力而开始内战时，人们没有料到的是，布鲁图没加入恺撒一方，而是站到处死自己父亲的庞培一方。

那么布鲁图到底为何要反对恺撒，甚至一定要杀死他呢？从根本上说，布鲁图与卡西乌等人作为共和派，他们极端仇视君主专制制度。面对有称王企图的恺撒，布鲁图表示了自己坚定的立场：“为国家自由而死，是我刻不容缓的职责。”

但以上都只是一面之词而已，究竟恺撒大帝身死谁人之手，还有待做进一步的考察。

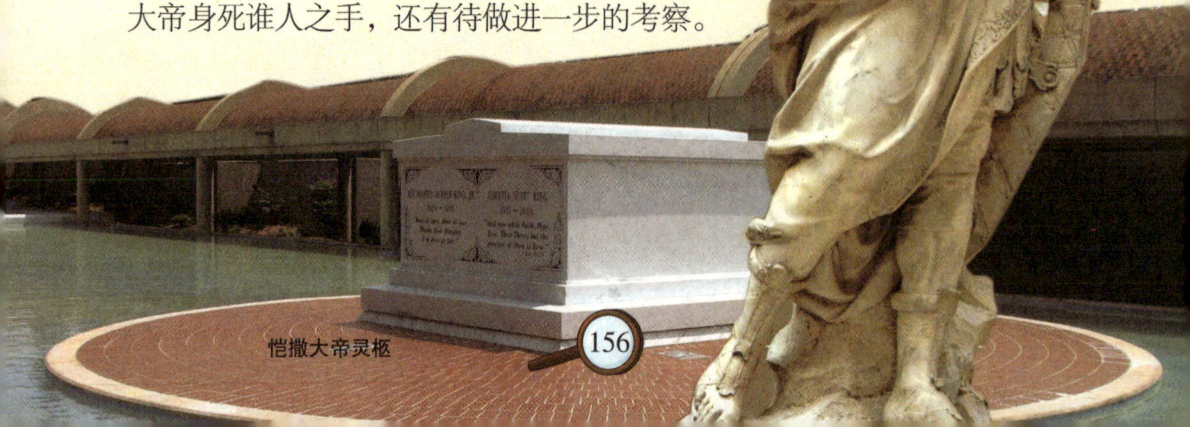

恺撒大帝灵柩

谁谋杀了马丁·路德·金

1968年，马丁·路德·金被暗杀于美国孟菲斯市。当时，他正站在孟菲斯市旅馆的阳台上，一颗子弹穿过他的颈部，这位为争取黑人权利而不懈奋斗的勇士的生命结束了。作为20世纪美国黑人民权运动的领袖，他的遇害引起了人民的巨大反响。

马丁·路德·金

真凶落网，但疑点众多

马丁·路德·金遇害后，各方马上展开调查。根据马丁·路德·金的助手提供的线索，警方顺利地找到了凶手詹姆斯·厄尔·雷。

1968年11月12日，孟菲斯法院开庭审理此案。由于厄尔·雷承认了刺杀行为，法庭当天就做出判决，厄尔·雷被判处99年徒刑。

判决做出后，马丁·路德·金的妻子当场提出抗议，她认为如此周密的谋杀，不可能是厄尔·雷一人所为，他的背后一定有指使者。然而，法院极力要使公众相信这次刺杀只是厄尔·雷的个人行为。岂料，在判决公布的三天后，厄尔·雷突然上诉，表示自己是无辜的，是被人逼迫、诱骗认罪的。但法院态度坚决，对他的上诉置之不理。

确认谋杀，但没有结果

后来，美国政府迫于民众的压力，不得不再次调查这一案件。这次调查规模很大，仅收集的材料就多达数十万页，但最终得出的结论依然没有改变，司法部认为没有任何证据证明刺客是厄尔·雷以外的任何人，人们不应当再质询这件事。

也有人认为马丁·路德·金被刺的幕后主使是联邦政府。由于马丁·路德·金在民众中有极大的威望，颠覆美国百余年的种族制度、扰乱社会“正常”秩序，属于危险分子，所以联邦政府对他采取某种极端行为以彻底消除隐患，也不是不可能的。当然，这只是推测，没有证据，因为人们在寻找证据的过程中遇到了太多的障碍，而且有些障碍是无法逾越的。

探索·发现

——世界十大文化遗产（二）

罗得斯岛巨像

罗得斯岛巨像非常神秘。其巨大的雕像残片显示，巨像的建造技巧之精妙不次于宙斯神像。它以大理石为结构基础，外围浇铸铜片而成，虽然56年后（公元前226年）因地震被毁坏，但残骸堆积在附近的岸边，据说巨像的遗迹仍壮丽可观。

毛索洛斯墓庙

毛索洛斯墓庙位于土耳其，底部建筑为长方体，占地面积为1200平方米，总高45米，其中墩座墙高20米，柱高12米，金字塔高7米，最顶部的马车雕像高6米。此墓庙著名之处除了它的建筑结构外，还有雕塑，毛索洛斯墓庙的雕塑是由当时4名著名的雕刻家雕刻而成的。

中国万里长城

万里长城是中国古代伟大的工程之一。长城西起甘肃嘉峪关，东到辽宁鸭绿江，横亘甘肃、宁夏、陕西、山西、内蒙古、河北、辽宁等地。以现代科技来修筑像长城这样的建筑都不容易，而我国竟能于2000多年前的春秋战国时期建筑长城，实在难得。

亚历山大港

公元前332年，马其顿帝国的亚历山大大帝于埃及尼罗河三角洲建立一个古城——亚历山大，之后，埃及托勒密王朝兴起，亚历山大便成为托勒密王朝的首都并繁荣起来。但到了今天，亚历山大已面目全非，科学家在亚历山大港进行过多次的挖掘工程，声称在亚历山大港的海底发现了大规模的古代遗迹，同时亦发现了古代的道路及铺设道路的铺石痕迹。

秦始皇陵兵马俑

兵马俑场面宏大，威风凛凛，队列整齐，展现了秦军的编制、武器的装备和古代战争的阵法。秦兵马俑皆仿真人、真马制成。陶俑身高1.75~1.95米，多按秦军将士的形象塑造，体格魁伟，体态匀称。这些都显示了秦始皇威震四海、统一六国的雄伟军容，表现了极高的造型艺术。秦始皇兵马俑是世界上独一无二的文化艺术宝库。

Part02

中国卷

第一章

疑问重重的历史事件

历史上确有黄帝其人吗

黄帝被认为是中原各族的祖先。不过，人们对黄帝的身份一直存有疑问，历史上确有黄帝其人吗？这至今仍然是一个谜。

关于雷电之神的传说

有学者认为，黄帝是神话传说中的雷电之神。相传他长有四张脸，每张脸面对不同的方向，能同时顾及到东、西、南、北四个方向。所以，无论什么地方发生了事情，都逃不过他的眼睛。后来，他战胜了东、西、南、北四个天帝，建立了自己的神国，崛起为中央天帝。因为中原的土地是黄色的，所以人们将其称为“黄帝”。

部落联盟的首领

还有学者根据史书记载，认为黄帝确有其人，他应该是原始社会末期一个部落联盟的首领。《五帝本纪》作为《史记》的开篇，明确记载着：“黄帝者，少典之子，姓公孙，名曰轩辕。生而神灵，弱而能言，幼而徇齐，长而敦敏，成而聪明。”这段话明确地记录

黄帝陵

了黄帝的身世。黄帝是少典部族的子孙，叫作公孙轩辕。相传黄帝一生下来就神通灵异，出生不久，便能说话，长大以后聪明敏捷，见闻广博，无所不通。后来他征服炎帝，打败了蚩尤，统一了天下。

黄帝战蚩尤

黄帝在位期间，不但国家安定，兵强马壮，而且政治清明，文化进步。除了政绩显赫之外，黄帝还是一位发明家，他有许多发明创造，相传音律、养蚕、文字、舟车、医学、算数等都是他发明创造的。黄帝有二十五个儿子，其中有十四人建立了自己的姓氏，相传尧、舜、禹、皋陶、伯益、汤等均是他的后裔，因此黄帝被奉为中原各族的共同始祖。这样看来，黄帝应该是确有其人了。

那么，黄帝究竟是人还是神呢？由于年代久远，许多说法都无法考证了。这个问题，有待人们继续探索、研究。

炎帝、黄帝石像

“三皇五帝”究竟是谁

尧帝

“自从盘古开天地，三皇五帝到如今。”我国古代把远古三个帝王和上古五个帝王合称为“三皇五帝”。秦始皇为表示其地位之崇高无比，采用三皇之“皇”，五帝之“帝”构成“皇帝”的称号。那么，你知道“三皇五帝”究竟是谁吗?

“三皇”不定

“三皇”是中国古代传说中的远古帝王，那么“三皇”都包括谁呢?自古以来说法不一，广为流传的至少有四种不同观点。

第一种观点，认为“三皇”为伏羲、神农和女娲。

第二种观点，认为“三皇”为伏羲、神农和共工。

第三种观点，认为“三皇”为伏羲、神农和祝融。

第四种观点，认为“三皇”为伏羲、神农和燧人。

上述四种观点中，伏羲、神农为各家所共有，有出入的是分别将女娲、共工、祝融、燧人列入“三皇”。传说女娲不仅用黄土造人，而且“补苍天”“立

伏羲

四极”，使人民得以安居；共工怒触不周山，“天柱折，地维绝。天倾西北，故日月星辰移焉；地不满东南，故水潦尘埃归焉”，改变了人类的生存环境；祝融，名重黎，是传说中的火神；燧人发明了钻木取火，使人们能吃到熟食。四者都有了不起的功绩，都有位列“三皇”的资格。

“五帝”不定

“三皇”无定论，自古如此。那么“五帝”的情况又怎样呢？

“帝”原是中国原始社会部落联盟时期对首领的称谓，“五帝”的说法形成于周秦之际。但“五帝”的组合，自古以来也有着不同的观点。

第一种观点，认为“五帝”即伏羲、神农、黄帝、尧、舜；第二种观点，认为“五帝”是黄帝、少昊、帝喾、帝挚、尧；第三种观点，认为“五帝”是太昊、炎帝、黄帝、少昊、颛顼；第四种观点，认为“五帝”是黄帝、颛顼、帝喾、尧、舜；第五种观点，认为“五帝”是少昊、颛顼、高辛（帝喾）、尧、舜。东汉的郑玄还提出“五帝为六人”之说。

哪种说法最有根据呢？

《国语·晋语》载：“昔少典娶于有蛴氏，生黄帝、炎帝……”《史记·五帝本纪》也说：“黄帝者，少典之子，姓公孙，名曰轩辕。”关于炎帝，人们认为也为少典之子，与黄帝兄弟相继，但《帝王世纪》认为炎黄之间相隔

炎帝

八帝，相差500多年。在早期部落之间的战争中，黄帝对于中原各族的形成是有功绩的，而班固说炎帝“教民耕农，故号曰神农氏”。炎帝、黄帝对古代社会的农业生产做出了贡献，人们习惯上认为中原各族同为炎、黄子孙，看来炎、黄被列为“五帝”是有可能的。

帝喾高辛氏，是黄帝嫡长子玄嚣的孙子。《帝王世纪》说他“年十五而佐颛顼，三十登帝位”。《史记·五帝本纪》说他“生而神灵，自言其名。普施利物，不于其身。聪以知远，明以察微。顺天之义，知民之急。仁而威，惠而信，修身而天下服。取地之财而节用之，抚教万民而利诲之”。而且他还生了一个伟大的儿子帝尧。

帝尧，名放勋，号陶唐氏。《史记·五帝本经》说他“命羲、和，敬

顺昊天，数法日月星辰，敬授民时”。在古代，对于以农业立国的中原各族来说，制定历法，授民以时，比什么都重要。

太昊亦作太皓，风姓，一说号伏羲氏，以龙为官名。少昊又作少皞，名挚，一说号金天氏，以鸟为官名。传说他们均为东夷族首领。

根据上面的“审查”，他们都有资格被列入“五帝”，然而，名额有限，如何取舍就是一个大难题了！

其实，关于“三皇五帝”究竟是谁的分歧，是我国多民族共同发展的产物，它反映了民族融合的进步趋势。

女娲补天

神农尝百草

夏朝九鼎下落之谜

大禹

相传，夏朝初年，大禹把天下划分为九州，下令收集青铜，铸造九鼎，每一鼎代表一州。大禹还派人把各州的山川名胜、奇异之物绘成图，再让能工巧匠把它们刻于九鼎之上。从此之后，九鼎成为国家权力的象征，更是夏、商、周三朝帝王的定国之宝，代代相传。

九鼎意义非同一般

夏王九鼎是“国之重器”，意义非同一般。

公元前606年，春秋五霸之一的楚庄王讨伐陆浑之戎，来到周朝都城洛阳的郊外检阅军队，周王派人前去慰劳他，而楚庄王则借机询问鼎的大小轻重，表明了他有灭周的野心。后人因此将图谋争夺政权称为“问鼎”。

大名鼎鼎的“鼎”

司母戊鼎

中国国家博物馆里，有一尊叫作司母

戊鼎的青铜器陈放在青铜厅内，这个鼎因体形庞大、纹饰精美细腻而举世闻名，是我国目前已出土的最负盛名的四足方鼎，吸引了无数人前来驻足观赏。司母戊鼎是迄今为止出土的最大的青铜鼎，被人称作“国之象征”。但是，后人眼中如此珍贵的司母戊鼎远没有“国之重器”夏王九鼎有历史价值。可是夏王九鼎到底在哪儿呢？

大禹治水

九鼎下落之谜

如今，出土的商周时期的青铜鼎不在少数，但夏朝时期的青铜鼎至今还没有被发现。因此，有人怀疑，夏朝时期可能就没有制造过青铜鼎。

也有人反驳，指出在夏朝以前的原始社会的遗址中就曾发现过铜器。位于河南偃师的二里头遗址，就曾出土过形状各异的铜器，除此以外，考

古人员还发现了铜渣、陶范（制造青铜器的陶制范模）和坩埚片等，这足以证明夏朝是完全有能力制造出青铜器的。也就是说，单从技术层面上来看，九鼎在夏朝是能够被制造出来的，不能因为迄今为止没有出土过夏朝的青铜鼎就否认九鼎的存在。

如果九鼎存在，它们又流落到了哪里？最早有明确记述九鼎下落的史籍是《史记》。但《史记》中前后也有矛盾。在周、秦《本纪》中记载秦王从洛阳掠走九鼎；而在《封禅书》中又说周国运衰亡，“鼎乃沦没，伏而不见”。之后许多史书都是在这两种说法中或选其一，或兼而用之。而九鼎的真正下落，仍是个谜团。

商朝各种鼎

孔子的出生之谜

在绵延几千年的中国封建社会中，儒家思想成为封建社会的正统思想。作为儒家思想创始人的孔子，成为不少人心目中的“圣人”。而孔子的出生情况，也成了引人注目的问题。

孔子其人

孔子，是中国古代伟大的思想家、教育家，他一生传道、授业、解惑，被尊为“至圣先师，万世师表”，在中国乃至世界文化史上都有着重要地位。然而现今一般史书对孔子的出生情况皆语焉不详，各种史料记载也说法不一。

祈祷而生说

这是一种颇具神话色彩的说法：孔子的母亲祈祷于尼丘，后怀孕而生孔子。在今天看来，这种说法带有神话色彩，是不太可信的。

梦生说

这种说法同样带有明显的迷信、荒诞色彩，《春秋演孔图》记载："孔子母徵（征）在梦感黑帝而生，故曰玄圣。"这种说法把孔子说成是其母梦感黑帝而生的，实在可以说是玄虚至极。

对于伟大人物的生平，后人往往在其身世上附会许多神话，加进很多神秘的东西，似乎唯有如此，才能使其显得与其他人不同。上述两种说法正反映了这种情况。

其他说法

还有学者根据历年积累的资料，做了详细的考证，认为孔子是私生子。孔子曾自称"吾少也贱"，这似乎可说明孔子的母亲颜徵家境贫寒，可能是奴隶或平民的女儿，与孔子生父叔梁纥显然属于两个不同的阶级。有人认为在当时的社会环境下，极有可能是叔梁纥迫使颜徵在怀孕而生下孔子。因此有人得出孔子是个私生子的结论。

孔子的出生情况至今仍无定论，尚有待于人们的深入研究。

西施最终归宿之谜

西施，春秋时期越国人，我国古代四大美女之首（另外三位是王昭君、貂蝉、杨玉环）。关于这位绝色美女的最终归宿，历史上有多种说法。

为国献身

西施是春秋时期的越国人。当时，越国被吴国打败，称臣于吴国，越王勾践卧薪尝胆，想要振兴越国，于是巧设“美人计”，用以迷惑吴王夫差。国难当头，西施忍辱负重，被越王勾践献给夫差。夫差非常宠爱西施，对她言听计从，放松了对越国的警惕，最后被勾践打败。但奇怪的是，当夫差被打败、勾践重新崛起之时，西施却神秘地失踪了。西施人归何处，后人说法不一。

说法一：与恋人大隐于市

吴国灭亡后，西施究竟去了哪里呢？民间流传的说法是：吴国

灭亡之时，西施的恋人范蠡匆匆赶到吴宫，将西施救出，然后两人从太湖乘船逃走。从此以后，范蠡化名为陶朱公，经商致富，两人远离国家的政治斗争，过着平凡人的生活，平安终老。

关于西施和范蠡的爱情故事，明代戏剧家梁辰鱼的《浣纱记》中也有相关描述：范蠡到若耶溪游玩，偶遇正在浣纱的西施，两人一见钟情，私订白首之约。不久，吴王夫差领兵攻打越国，越军节节败退，最后守城失败，越王勾践做了俘虏，范蠡也到吴国做了奴隶。三年以后，勾践和范蠡返回越国。勾践忍辱负重，意图报仇雪耻，便采用了范蠡所献的美人计，把西施献给了吴王夫差。夫差一见西施，立刻被西施的容貌迷倒，从此以后不理朝政，最后吴国被越国灭掉。勾践复国成功之后，正要论功行赏，范蠡却不愿做官，接走西施，从此两人隐姓埋名，过起了平静的生活。

不过，很多学者对这样的结局表示怀疑，认为范蠡和西施美好的爱情故事只是后人的美好愿望。根据史书《吴越春秋》记载，吴国灭亡后，足智多谋的范蠡深感自己处境不妙，在写给文种的信中，他说：“鸟尽弓藏，兔死狗烹。越王这个人，可以跟他共患难，不可以与他共安乐。”于是，范蠡在一片复国成功的欢呼声中向越王辞官，越王不准，并且威逼利诱：“你要是留下，我们俩共同治理国家；你要是离开，你的妻儿就会性命不保。”百般权衡之下，范蠡毅然对勾践说：“我自己的性命都不保了，哪里还管得了妻儿！我去意已决，告辞了。”之后，范蠡乘一叶扁舟，飘然而去。若西施真与范蠡彼此钟情，由此段记述也可推知，西施并没有随他而去。

说法二：身沉大江

《墨子·亲士》对西施的死因则另有记载："西施之沈，其美也。"在古代，"沈"同"沉"，而这里的"沈"字，道出了西施的死因。从当时的情形来猜测，当越兵攻入吴国都城的时候，吴王夫差虽然想把西施带走，但西施终于盼来了自己国家的人，并不愿意追随吴王，便留在了宫中。越国军队攻入吴王的宫殿后，越王勾践带走了西施。可是，勾践的夫人害怕自己的丈夫也被西施的美貌所迷惑，便决定暗中除掉西施。当大家乘船渡江回归越国的时候，勾践的夫人将西施骗到船尾，命士兵将她绑在一块大石头上，扔进了滚滚江水之中。

令人不解的是，在以严肃信实著称的《史记》中，与越国有关的《越王勾践世家》与记录范蠡行商事迹的《货殖列传》这两篇文章中都没有提到西施。司马迁为什么对这个在当时的政局中起着重要作用的女人只字未提？这一点令人十分费解。一代佳人西施的结局众说纷纭，她是被沉于江，还是跟随范蠡归隐于市井？或是有其他结局？这个千古之谜还需要人们继续探索考证。

范蠡雕像

越王勾践剑之谜

绍兴越王台

1965年冬天，湖北荆州附近的望山楚墓群中出土了一把青铜剑。专家通过对剑身8个鸟篆文的解读，证明此剑就是传说中的越王勾践剑。

剑身不锈之谜

这把越王勾践剑，无论是从外形，还是从质料搭配来看，都无疑是我国青铜兵器中罕见的珍品。而且，这把宝剑在古墓中埋藏了2000多年，被发现时依然锋利无比，剑身也不见锈迹，这是为什么呢？

为了解开勾践剑千古不锈之谜，科学家们进行了大量的实验，希望在越王勾践剑所含的金属成分上找到答案。经过化验取证，人们得知，宝剑是由铜、锡以及少量的铝、铁、镍等铸成的，宝剑的含铜量为80%～83%，含锡量为16%～17%。同时，宝剑剑身上的黑色菱形花纹是经过硫化处理的，剑刃的精磨度可与现代磨床加工相媲美。除此之外，因为剑的各个部位作用不同，铜和锡的比例也不一样：剑脊含铜较多，这样可使宝剑足够结实，不易折断；剑刃部含锡较多，硬度大，使剑非常锋利。

越王勾践雕像

通过进一步的研究，科学家们发现越王勾践剑千年不锈的主要原因在于剑身上被镀上了一层含铬的金属。但镀铬的工艺并不简单。铬是一种极耐腐蚀的稀有金属，十分不易提取。再者，铬还是一种耐高温的金属，它的单质熔点大约在1857℃。所以，越王勾践剑不但不易腐蚀，而且也耐高温。此外，越王勾践剑出土时紧插于剑鞘内，有剑鞘的保护，又处于含氧量甚少的中性土层中，与外界基本隔绝，这也是它几千年不锈的重要原因。

“漂泊”之谜

这把越王勾践自用的宝剑，为什么会出现在一座楚墓之中呢？常见的说法有以下两种。

第一种，越王勾践的宝剑可能是作为陪嫁品流入楚国的。根据相关史书记载，楚越两国的关系自越王允常统治时期开始就很亲密，两国曾互为盟友，楚昭王还曾娶越王勾践的女儿为妾，生下了楚惠王。因此，这把珍贵的青铜剑有可能是勾践女儿出嫁时的陪嫁品，随勾践的女儿到了楚国，直至现代，被人发现。第二种，这把宝剑也可能是楚军的战利品。在楚威王之前，楚国和越国的关系还很亲密，可之后两国的关系渐渐疏远，甚至发生战争，最后楚国竟然把越国灭掉了。所以有人认为，这把珍贵的青铜剑是在楚国灭越国的战争中，被楚军缴获，然后作为战利品流入了楚国，之后又作为陪葬品被埋入地下。

不过这两种说法都没有有力的证据进行证明。

屈原投江自沉之谜

2200多年前，伟大的爱国诗人屈原怀着满腔忧愤，毅然投入波涛翻卷的汨罗江中，结束了自己的生命。千百年来，他的死一直为人们所惋惜、哀悼。那么，屈原为何投江自沉呢？研究者们意见并不统一。

观点一：为国殉葬

现代的研究者大都认为，屈原投江是因为秦将白起攻破楚都。楚都被攻陷后，屈原眼见国破家亡，百姓流离颠沛，而自己却无能为力，于是悲愤自杀。这种推测是基于屈原的著作，如《涉江》《惜往日》等篇目推断出来的。

观点二：绝望而沉江

楚国在公元前312年丹阳、蓝田之役中被秦国打败以后，便一直受秦国欺压。楚怀王想联齐抗秦，秦昭襄王却给楚怀王写信，请他到黄棘（在今河南）相会，当面订立盟约。从此秦、楚结盟。然而，过了几年，秦国背弃盟约，攻打楚国，占领了楚国许多城池。同时，

《九歌·东皇太一》图册局部

秦昭襄王又给楚怀王去信，请他到武关（在今陕西丹凤东南）相会。尽管大夫屈原力阻，但楚怀王还是听信了公子子兰的话去了秦国。但楚怀王一到武关后，秦昭襄王就将他押到咸阳软禁起来，之后楚怀王病死在秦国。楚怀王被软禁后，继位的是楚顷襄王。

许多学者认为，屈原一直主张联齐抗秦，这个想法怀王时期便未能实现，而顷襄王统治继位后更是忘却了国耻父仇，对国家大事不闻不问，反而听信小人谗言，把满怀救国救民之志的屈原放逐到远方，不让其参与朝政。几年之后，屈原知道自己已经没有被重新起用的机会，只能眼睁睁地看着自己的祖国和人民蒙难。于是，屈原决定用自己的死来警醒无能的庸君，希望楚国能再次强大起来。这才是屈原忍受了长时间的放逐，最后因绝望而自沉的根本原因。

观点三：被逼而亡

还有学者认为，屈原身为楚国贵族，屡次遭到奸臣的诬陷、排挤，投诉无路，蒙受冤屈。遂以死明志：宁愿一死，也不向群小屈服。所以，屈原应该是由于奸臣的逼迫，最后走投无路才投江自沉的。

事实上，无论历史真相如何，都改变不了屈原一心向国的情操，也改变不了中国人在端午节纪念屈原及其精神的那份真情。

龙舟赛

赵国将士遗骨埋在何处

战国遗物

七雄逐鹿中原的战国时期，长平（今山西高平西北）并不平静。这里发生了一场我国历史上最早、规模最大的包围歼灭战——长平之战。

历史铁案

长平之战，战争的双方为秦国和赵国，前后耗时3年。据史书记载，秦军前后共坑杀赵国40多万降兵，从此以后，赵国再也无法与秦国相抗衡。战争的结果加速了秦统一六国的进程，因此有人说，长平之战是战国时期形势的重要转折点。

生活在和平年代的人们无法想象长平之战的惨烈。《史记》与《资治通鉴》这两本史书都记载了这场骇人听闻的战争。

《史记》中，《秦本纪》和《赵世家》《白起王翦列传 》分别记载了这场战争。公元前262年，秦国攻打韩国，取野王（今河南沁阳），使韩国的上党郡（今陕西沁河以东一带）与韩国不能联系，当时上党郡郡守不想投降秦国，他抢先一步归顺赵国，并把上党郡的17座城池献给了赵国。赵国接收上党郡，引起秦国的强烈不满，秦国决定出兵攻打赵国，并派武安君白起带兵。而赵国前期派廉颇固守，后来赵孝成王中了秦国的反间计，让只会纸上谈兵的赵括接替廉颇成为主将。两个月之后，秦军大败赵国军队，并把赵国的40多万将士杀掉。

长平古战场遗址

战争结束，赵国大败。白起认为，上党郡已经被秦国攻下，但是上党郡的人民并不愿意归降秦国，他们更愿意归降赵国。如果把赵国被俘的将士留下，这些将士很可能会煽动上党郡的民众作乱，让战争的结果出现反复。因此，赵国降兵几乎被全部活埋，仅有年纪较小的240人被放回到赵国。

遗骨去向谜团

长平之战，秦军坑杀赵国40多万将士，这一事件经过《史记》和《资治通鉴》的记载，似乎已经成为历史定论。可是，南宋大学问家朱熹却提出了异议。在给学生授课的时候，朱熹提出，如果战争

是以赵国40多万将士被活埋为结局的，那么，想要坑杀40多万人，这需要极大的场地。但是直到现在，人们也没有在长平地区发现大量白骨，史书中也没有发现关于大量白骨的记载。

另外，长平之战中赵国被杀将士人数是否为40多万还有待考证。《史记》中记载，长平之战后，在秦赵之战中，赵军还被消灭或俘虏了大批将士。把后来损失的将士人数都加在一起，再加上长平之战的40多万人，赵国军队的总人数将近100万。而此时，中华大地各诸侯国的总人口数量加在一起，平均下来每个诸侯国的人口有200万左右；按照这个数字来计算，赵国在与秦国的战争中损失了全国总人口的一半，也就是说，赵国每两个人中就有一个是当兵的，这是不大可能的。因此，在长平之战中，赵国40多万将士被活埋这一说法并不可信。

那么真相到底是什么呢？在长平之战中，赵国军队损失的将士数量到底有多少？哪里才是将士们魂归的地方？这在中国历史上仍是不解之谜。

秦始皇真的“坑儒”了吗

秦始皇统一六国以后，采取了一系列措施加强中央集权。在完成政治上的许多举措之后，秦始皇开始着手加强对人民思想上的控制，“焚书坑儒”就是其中的典型事件。

“焚书坑儒”的始末

秦始皇采用李斯的“焚书”建议，下令除秦朝的典籍、医药、卜筮、农书以及国家博士（古代学官名）所藏《诗》《书》、诸子百家书之外，其他典籍，统统焚毁。同时，他下令禁止谈及《诗》《书》中所涉及的内容，更不允许“以古非今”，违者定当严惩。这就是“焚书”事件。

“坑儒”事件是由畏罪潜逃的术士引起的。秦始皇十分迷信方术，到处寻找长生不老的方法，派侯生、卢生等人寻求仙药，却始终没有找到。因为害怕被降罪，他们悄悄地远走他乡。这使秦始皇十分恼怒，便下令对所有在咸阳的方士进行审查讯问，想要找出这些人的下落。最后，秦始皇把相关人员活埋了。

焚书

秦始皇到底“坑”过多少人

秦始皇“焚书坑儒”是一段非常残酷

的历史，不少史籍都对该事件进行了描述，不过让人感到不解的是，各类史籍只对“焚书”事件做了详细记载，对“坑儒”一事却叙述得模模糊糊。这就不得不令人怀疑，秦始皇“坑儒”这宗历史事件是否真的发生过呢？另外，人们在对“坑儒”的次数和“坑儒”的数量上也有争议。

在“坑儒”的次数上，有的历史学家认为只有一次，有的历史学家却认为共有两次；对于“坑儒”的数量，有的人说秦始皇活埋了460多人，有的人却说活埋了1600多人。关于第二次“坑儒”，200多年后的史书记载如下：秦始皇以骊山陵谷冬季瓜熟的奇异现象为由，将许多儒生带到骊山陵谷去观看。当众儒生为“冬季瓜熟”这件事争论不休、各抒已见的时候，秦始皇却趁机下令，让埋伏在周围的士兵立即填土埋杀儒生。就这样，700多名儒生全部被活埋在山谷里。由于这件事情是秘密进行的，所以大多数人并不知情，所以对此次记载的真伪谁也不肯定。

“坑儒”属于一种极端残忍野蛮的行为。史籍对“坑儒”这个历史事件的记载为什么会出现坑杀次数和受害者数量前后不一致的现象呢？事情真相真的像史籍记载的那样吗？这还有待进一步探索、研究。

项羽不肯过江东之谜

项羽是中国历史上的一代霸王，关于他的传说数不胜数，其中他自刎于乌江边的故事最为慷慨悲壮，在民间流传也最为广泛。人们对项羽“宁为玉碎、不为瓦全”的英雄气概做出高度评价。可是，项羽当年为什么选择了自刎，而不是过江呢？几千年来，关于这个问题的争论一直不休不止。

自愧而亡

楚汉战争中项羽被刘邦打败后，项羽带领一支人马突出重围，来到乌江江畔，这时乌江亭长劝项羽赶快渡江，以图东山再起、报仇雪恨，可是项羽却笑着说：“上天要我灭亡，我还渡江干什么？况且项籍（项羽名籍）和江东八千子弟渡江西征，今天却只剩下我一个人。即使江东父老怜悯我，让我称王，我又有什么脸面去见他们呢！”然后拔剑自刎。这种说法出自太史公司马迁的记载。司马迁生活的年代与项羽死亡的年代较近，因而这种说法流传最为广泛，后世关于项羽自刎的传说大多源于此。

在这种说法中，还包含着项羽的自刎还与爱妾虞姬有着密切的关系。当时，项羽被汉军围困于垓下，夜里，被响彻四方的楚歌所惊醒，他知道大势已去，心里非常难过。这时候，项羽看到在困境中一直陪伴在身边的爱妾虞姬，不由得心生感慨，便饮酒高歌："力拔山兮气盖世，时不利兮骓不逝。骓不逝兮可奈何，虞兮虞兮奈若何！"虞姬听了项羽的歌，马上拔剑起舞，并唱道："汉兵已略地，四方楚歌声。大王意气尽，贱妾何聊生！"虞姬唱完这首歌，便挥剑自刎。项羽自尊心极强，看到自己的爱妾被逼自杀，心中既伤心绝望，又十分羞愧，再加上当时楚军伤亡惨重，所以当项羽带着残兵败将逃至乌江畔时，顿觉已经没有脸面再去见江东父老，于是选择一死了之。

拯救百姓的英雄

还有一种说法认为项羽自杀是想结束战争，消除因战乱而给百姓带来的痛苦。在楚汉战争中，刘邦和项羽僵持不下，老百姓过不了平静安稳的生活，而军士更是受尽了战乱之苦。于是项羽想通过两个人的决斗一决

胜负，不要再让天下百姓跟着受苦。最后他甚至想牺牲自己的利益来换取刘邦的让步，以鸿沟为界两分天下。但是刘邦却违约出兵追杀楚军。项羽率残兵败将突出重围来到乌江时，想到渡江以后还要卷土重来，那将会给百姓带来更大的灾难，于是他宁愿选择牺牲性命来结束延续数年的战争，还百姓一个太平世界。

但这种说法带有太多的臆测成分，也与项羽好战的残暴性格不符。项羽曾经坑杀20多万秦兵，火烧阿房宫，是一个非常暴虐的人，不大可能为了百姓而自杀身亡。他之所以要约刘邦一决胜负，很可能是一种计谋，因为以项羽的个人能力，打败刘邦简直就是易如反掌。不过刘邦也没有上当。

项羽失败逃至乌江时，万念俱灰、狼狈不堪，心中不免感慨万千，此情此景下，他萌生可怜天下苍生，愿意以一己之死来结束战争的念头也有可能，但这顶多是项羽走投无路又放不下脸面时的一种自我安慰，将它视为项羽自杀的主要原因是不妥的。

自刎是一种误传

还有一种说法，认为项羽并非在乌江“自刎”，而是在今天的定远就被“搏杀而死”。除了《史记·项羽本纪》中有涉及乌江外，其余史书无一处写到项羽于乌江自刎，反倒是《汉书·陈胜项籍传》明确提到：“（项羽）身死东城”，《史记·高祖本纪》提到“使骑将灌婴追杀项羽东城”等。而学者经过实地查勘考证，东城，就在今天的安徽定远县，离乌江有约120千米。至于《史记》中涉及乌江的记述，一些史学家认为是司马迁记述上的错误，并导致了后人以讹传讹。

这种观点得到了一些学者的支持。垓下之围中，项羽仓皇失措，带领800多兵士突出重围，往江东方向逃跑。长江以南是项羽的势力范围，如果项羽顺利渡江，完全有可能重整旗鼓、卷土重来。但逃至东城时项羽被汉军包围，混战中即被汉军大将灌婴杀死，所以项羽根本没有渡江的机会。

但许多学者并不认同这种说法。据多方考证，在楚汉战争时期，东城是一个范围广阔的行政区域，乌江是包括在东城之内的，因此司马迁所说的“灌婴追杀项羽东城”与“乌江自刎”并不矛盾，而是他为避免同义反复而使用的描写方法。

刘备真的“三顾茅庐”了吗

“三顾茅庐”是由汉末刘备三次请诸葛亮出山辅佐自己的典故演化而来的成语，后来这个成语成了求贤若渴、礼贤下士的代名词。但是，刘备真的“三顾茅庐”了吗？

历史谜题

在《三国演义》中，作者罗贯中详细地描述了刘备“三顾茅庐”的故事，可是正史《三国志》对于刘备“三顾茅庐”这件事却仅用“凡三往，乃见”几个字就概括了。此外，同时代的其他史书对这一事件却有截然相反的记载——诸葛亮是毛遂自荐的。几部史书中的不同记录与描述，让历史学家们困惑不已，那么流传千古的刘备“三顾茅庐”的故事到底是真是假呢？

刘备

正方："三顾茅庐"证据确凿

在罗贯中所著的《三国演义》中，是这样记载的：当时，刘备带领军队驻扎新野。徐庶向他推荐诸葛亮，并让他亲自去请诸葛亮出山。于是，刘备去拜访诸葛亮，前两次去拜访的时候，诸葛亮都没有在家，直到第三次的时候，两个人才得以相见。诸葛亮在《出师表》中，也明确提到："先帝不以臣卑鄙，猥自枉屈，三顾臣于草庐之中……"这几句话证明了刘备"三顾茅庐"这件事是确实发生过的。

如果说《三国演义》是历史小说，其中有虚构的成分，那么《出师表》是诸葛亮自已的文章，可能有自夸之嫌，那么正史《三国志》中提到的刘备"凡三往，乃见"又如何解释呢？尽管《三国志》中对刘备三次寻访诸葛亮的过程描写得很简单，但详细记录了刘备第三次探访时与诸葛亮谈论天下形势的内容。而刘备当时确实急需人才。所以，无论是从史实上来看，还是从情理上来看，刘备"三顾茅庐"的故事都是可信的。

诸葛亮

那么，“三顾茅庐”的真实过程是怎样的呢？它是不是真如小说中所叙述的那样呢？刘备“三顾茅庐”，是去了三次只见到一次，还是去了三次见了三次？由《三国志》的“凡三往，乃见”来看，刘备很可能不止去了三次。因为在古书里面，“三”可以表示“很多”的意思，所以刘备也可能去了多次。正是在多次讨论天下形势的过程中，两人相互了解，产生了信任，才有了后面的事情。

反方：“三顾茅庐”只是虚构的故事

“三顾茅庐”这个典故，记载于《三国志》与《三国演义》中，而《魏略》中却有截然不同的说法，也就是诸葛亮“毛遂自荐说”。当刘备屯兵于樊城时，曹操已统一黄河以北。诸葛亮预见曹操马上就要对荆州发动进攻，同时诸葛亮也知道掌管荆州的刘表性情懦弱，不晓军事，根本无法与曹操的大军相抗衡。于是，诸葛亮主动前往，拜见刘备，可刘备却因为诸葛亮年纪轻，根本不重视他。不过，当刘备听到诸葛亮对天下政局的见解后，对他刮目相看，用对待上宾的礼节来对待他。由此看来，刘备“三顾茅庐”可能是虚构的故事。

到底是刘备“三顾茅庐”，邀请诸葛亮出山辅佐自己成就帝业，还是诸葛亮毛遂自荐，主动要求为刘备出谋划策呢？这个历史上的不解之谜，还需要更多历史材料来证明，才能得出让人信服的答案。

刘备石像

武则天为何给自己立无字碑

武则天是中国历史上第一个，也是唯一一个女皇帝。她14岁入宫，67岁登上皇位，成为九五至尊。她的一生堪称传奇，也为我们留下了无数的不解之谜，其中最著名的一个就是她为自己立无字碑。

武则天

千古女帝的归宿

公元705年，一代女皇武则天离开了人世。武则天希望把自己的牌位放到李唐皇室的宗庙中，并且主动要求与丈夫唐高宗合葬于乾陵。乾陵位于今天陕西咸阳乾县北部的梁山上，是唐十八陵中保存最完好的一座陵寝，也是唯一一座夫妇均为帝王的合葬墓。乾陵南门外排列着大小各异的石刻像，还有两块高大雄浑的石碑对称而立，位于西面的石碑，叫作“述圣记碑”，这块石碑碑文由武则天撰文，唐中宗书写，歌颂了唐高宗的功绩。与之相对的东面，则是属于武则天的无字碑。

无字碑取材于一

块完整的巨石，碑额有八龙垂挂，碑两侧各有一幅升龙图；碑座阳面刻画的是一幅狮马图，其马屈蹄俯首，悠游觅食，雄狮昂首怒目，威严挺立；碑上还有许多花草纹饰，线条流畅。无字碑，雕刻精细，高大雄浑，为历代碑中巨制。

武则天为何自立无字碑

千百年来，人们对武则天无字碑的猜测从来没有停止过，大致有以下几种说法。一是“功大无须说”。无字碑是武则天用来夸耀自己功德无量的工具。二是“自知罪孽深重不便说”。以封建正统论的观念来看，武则天立无字碑，是她深刻自我反省后的结果。她自认罪孽深重，愧对李唐先祖，因此无法在碑上述罪。三是“功过是非留给后人评论说”。武则天能取代李氏家族，建立大周，才智可见一斑。她深知自己的一生，世人会有不尽相同的评价，因此留下无字碑，将自己的功过留给后人评说。四是“称谓不一无法说”。武则天与唐高宗合葬于乾陵，如何称呼自己，难以落笔，但这又是无法回避的事实，因此，她才决定立座无字碑。

以上说法，各有各的道理。直到现在，人们也无法猜透一代女皇武则天立无字碑的真正原因。

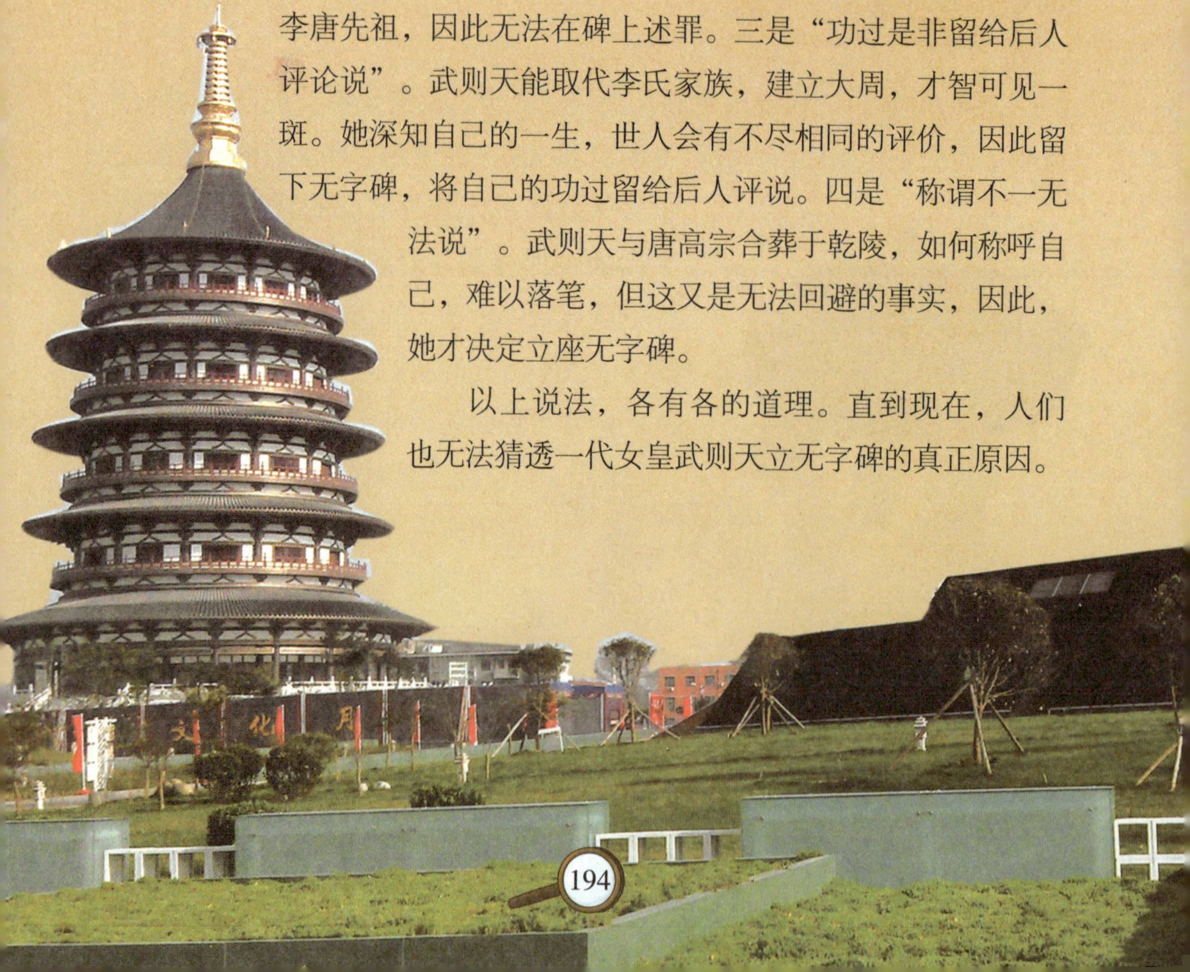

杨贵妃魂归何处

“后宫佳丽三千人，三千宠爱在一身”，这是白居易《长恨歌》中的诗句，诗中的这个集“三千宠爱在一身”的绝代佳人，正是中国古代四大美女之一的杨贵妃。可是这位贵妃的最终下落，却是历代学者都无法说清的一个谜。

千年前的蹊跷命案

公元755年，安史之乱爆发，安禄山在范阳（治今北京）起兵叛乱。第二年，叛军攻破了潼关。这个消息传到长安，长安上下一片惊慌，唐玄宗不得不带领众妃嫔和贴身侍卫逃出皇宫。逃亡的队伍行进到陕西境内的马嵬坡时，随行的将士饱受疲惫与饥饿的折磨，发生了暴乱。杨贵妃的兄长、宰相杨国忠在这场暴乱中丢了性命。但杨国忠的丧命并没有熄灭将士们心中的怒火，他们把矛头指向了杨贵妃。他们认为，他们所受的苦，都是杨贵妃蛊惑唐玄宗造成的，因此，他们要求唐玄宗处死杨贵妃。唐玄宗为了安抚愤怒的将士，只能

白居易《长恨歌》部分内容的画作

忍痛赐死杨贵妃。

后来，平息了安史之乱、回到长安的唐玄宗，密令宦官改葬杨贵妃。可是，派去的人似乎并没有找到杨贵妃的遗体。对于这段历史，《旧唐书》和《新唐书》中的记载有所出入。《旧唐书》中记载：“肌肤已坏，而香囊仍在。”而《新唐书》中并没有提到遗体，只提到：“香囊犹在。”两本史书记载的差异，让人们不禁追问：杨贵妃的遗体去了哪里？

美人归处

《新唐书》与《旧唐书》的不同记载，让人们对杨贵妃遗体的去向提出了怀疑，而早在之前，白居易所作的《长恨歌》的“马嵬坡下泥土中，不见玉颜空死处”两句，似乎暗示着杨贵妃根本没有被处死。

假设杨贵妃没有离世，那么她去了哪里呢？有人说杨贵妃逃亡到了日本。这一说法，得到了一部分中日学者的认同。据说，命丧于马嵬坡的是杨贵妃的一个侍女。当时，禁军将领陈玄礼被杨贵妃的美貌所吸引，不忍绝世佳人就此香消玉殒，因此，设计让侍女代替杨贵妃赴死。而杨贵妃则跟随陈玄礼的亲信辗转到了日本。最后，杨贵妃终老于日本，葬在今天日本的二尊院内，直到现在，当地还有一座杨贵妃墓。

杨贵妃魂归何处，众说纷纭。经过一千多年的积淀，“杨贵妃”已经成为大唐盛世颇为形象的代名词，而杨贵妃的生死之谜，同样值得后人继续探究。

建文帝下落之谜

朱元璋画像

建文帝朱允炆是明朝第二位皇帝，也是明太祖朱元璋的孙子。建文帝做皇帝的时候，实施了一系列宽仁政策，同时逐渐削弱各个藩王的势力。后来，属于藩王之一的燕王朱棣发动了兵变，带领军队攻入了京师（今南京）。此后建文帝朱允炆便下落不明，这是中国历史上的谜案之一。

历史疑案

燕王朱棣发动兵变之后，和朝廷的军队打仗打了4年之久，最后才攻入南京。燕王军队入城时，皇宫里群龙无首，一片大乱，燃起了熊熊大火……朱棣派人在宫里到处搜寻，宦官、宫女死的死，逃的逃，场面十分混乱。

燕王想要搜寻的是谁呢？就是建文帝。可是，兵士在宫里搜寻了两天

靖难之役蜡像

却没有找到建文帝，只在大火焚烧后的残砖断瓦中拖出几具尸体来，有人指证其中一具就是建文帝的尸体。

那么，瓦砾中的尸体究竟是不是建文帝的呢？当时的老百姓似乎不愿意相信深受爱戴的建文帝就这样被大火烧死了，从此关于建文帝的下落，民间流传起各种各样的说法。后世的学者也发现，明朝的史书中对于这段历史的记载也是模模糊糊的。那么，建文帝是否逃过了那场大火？他又去了哪里？历史的真相究竟是什么呢？

焚死说

《明太宗实录》中说建文帝是自焚而死，而成祖（也就是当时的燕王）为了表达自己的悲痛，为建文帝安排了很隆重的葬礼，除此之外，还休假3天，以示哀悼。

可是，书中并没有记载成祖到底按照什么规制为建文帝安排的葬礼，也没有提到建文帝的坟墓在哪里。为什么会出现这种情况呢？有些历史学家认为，书中所记录的并不是真实的情况，而是明成祖为了尽快登基而掩人耳目的说法，所以这种说法是不足以令人信服的。

削发为僧

另一种观点认为，在南京攻破之时，建文帝曾想自杀，但在其亲信的劝说下，削发为僧，从地道逃出了皇宫，从此隐姓埋名，平安终老。

燕王朱棣登基后，为了掩人耳目，向天下昭告了建文帝的死讯，但是烧得面目模糊的尸体似乎并不能让他安心，因此他多次派心腹大臣到处寻访。据传，永乐年间，郑和下西洋的船队中，有不少船员的真正身份是锦衣卫，而他们出行的目的，很可能就是在海外寻找建文帝的踪迹。同时，明成祖朱棣还曾向天下寺院颁布《僧道度牒疏》，将所有僧人名册重新整理，对僧人进行了一次全面的调查。从永乐五年（公元1407年）起，他还派人以寻访仙人张邋遢为名到处查找建文帝的下落，足迹遍及大江南北。

文昌宫建文帝塑像

出逃说

除了明成祖的种种行为让人产生“建文帝并未身亡”的假想之外，民间也盛传着建文帝出逃的说法。有人说建文帝逃到云贵地区，而且辗转到了南洋。也有现代学者认为，当年建文帝潜逃后，曾藏于江苏的一座寺庙内，之后隐匿于穹窿山，于永乐二十一年（公元1423年）在此病亡，葬于后山。还有人认为，建文帝当年是从清凉山出城逃亡的。

2013年，有人在南京明城墙清凉门段发现了一个涵洞，涵洞出口处面朝秦淮河。也就是说，建文帝当年很可能是经涵洞从秦淮河出逃的。

建文帝的下落，目前仍没有定论。相信将来历史学家会给大家一个让人信服的答案。

顺治出家之谜

顺治像

“我本西方一袈裟，为何生于帝王家？天下万事纷纷扰，不如空门补破衲。”这首诗的作者据说是清朝的顺治皇帝。1661年，年仅23岁的顺治病逝。但在众多野史的记载中，顺治帝并没有死亡，而是在五台山出家了。这是真的吗？顺治帝留给人们的“出家之谜”至今不曾被破解。

顺治出家缘由

据传，顺治在位期间，后宫共娶纳20人左右。但是，最得他欢心的要数董鄂妃，两人感情极其深厚。然而，后来董鄂妃的儿子夭折了，她本人也因此郁郁而终。董鄂妃的死让顺治帝痛不欲生，再也无心打理朝政。第二年，顺治帝毅然决然地前往五台山剃度出家。

顺治出家谜团

顺治出家，只是民间流传的一种说法，当时的各种史书并没有记载这件事情，而相关史书中的记录是顺治帝是患天花不治而亡的。

但是，值得怀疑的是，康熙皇帝曾经五次到五台山，民间猜测他是为了看望顺治帝。据传，康熙皇帝在最后那次前往五台山的时候，顺治帝已经去世，为此，康熙帝曾作诗悼念顺治帝。后来，康熙帝出巡狩猎的时候，路过晋北，因为地方上无法提供御用器具，康熙帝命人到五台山上寻找，果然找到了内廷器具。这两件事情似乎为“顺治出家说”提供了有力的证据。但事实是否就是如此呢？我们不得而知。

五世达赖朝拜顺治皇帝

直到现在，顺治皇帝出家之谜，也没有人能够解开。

李自成下落之谜

李自成，明末农民起义领袖，他带领农民军推翻了奄奄一息的明王朝，是人们心目中了不起的大英雄，被人们尊称为“闯王”。可是这位英雄却在兵败南撤后，神秘地从人们的视野中消失了。至此之后，关于李自成的下落，众说纷纭，一直没有定论。

九宫山兵败被杀说

很多人都认为，李自成死在了九宫山。

根据史书记载，公元1645年，李自成兵败向南撤退。他带领残兵逃到湖北九宫山的时候，与英亲王阿济格再次发生激战。最后，李自成带着几个亲信逃出清军的包围，却又遭到当地地主武装的截击，最终死于乱军之中。

可是《明史》的结论却是：“验其尸，朽莫辨。”尸首没有办法辨认，怎么能确认这就是李自成呢？所以，“九宫山兵败被杀说”似乎并不那么可信。那么，史册和民间为什么都有这种说法呢？据推测，这或许是李自成与他的部下共同商讨的计策，目的是让敌人误认为自己已经身亡，以争取时间东山再起。

九宫山李自成之墓

隐居夹山寺说

第二种说法认为，李自成并没有死在九宫山，而是在战乱结束之后隐居在夹山寺。清朝初年的时候，张琮伯在出任云南同知的途中路过夹山寺，与寺中方丈颇为谈得来。过了几年，张琮伯重游此地，方丈已死，悼念之时，才知此方丈就是闯王李自成。乾隆初年，澧州知州前往夹山寺调查李自成的下落，在寺中发现一张名为“奉天玉和尚”的画像，画像中的人物长得和李自成十分相似。1980年，夹山寺中确实发现有奉天玉和尚的墓，墓葬的风格也与李自成家乡陕西米脂县墓葬的风格相似。

虽然有关李自成隐居的依据颇多，但是由于没有直接证据，李自成在夹山寺隐居的说法不能成为确论。奉天玉和尚墓的发现也只能证明夹山寺中曾有过一个叫作奉天玉的和尚，并不能证明这个人就是闯王李自成。

闯王李自成到底是死于九宫山，还是隐居在夹山寺？历史学家们还会对这个问题继续研究。

郑和下西洋有隐情吗

郑和像

郑和下西洋是中国古代规模最大、时间最久的海上航行。郑和带领着船队，七下西洋，从西太平洋穿越印度洋，前后用时总计28年，创造了不可磨灭的功绩。可是，郑和多次不顾生命危险出海冒险的目的是什么呢？郑和下西洋是否有着一些不可告人的隐情？

寻找失踪的建文帝

有的人指出，郑和下西洋是奉明成祖朱棣的圣旨，打着与各国建立友好关系的幌子，寻找失踪的皇帝——建文帝的下落。

"靖难之役"后，建文帝便下落不明。不久之后，燕王朱棣发布了建文帝已死的诏书，自己登上了皇位。而民间关于建文帝出逃的传闻越来越多，以致于明成祖朱棣对建文帝的下落总是疑神疑鬼，这成了他的一块心病。后来，明成祖根据这些传闻，采取了各种追查行动，而郑和下西洋就是其中之一。《明史·郑和传》中写有"成祖疑惠帝（建文帝）亡海外，欲踪迹之"，这明确

地表明明成祖派郑和下西洋的目的是寻找建文帝。

炫耀国威

浩浩荡荡的船队，军容整齐的士兵，亲近和平的态度，与众交好的行为，让西洋各国感受到了大明王朝的浩大国威，从而使西洋各国不敢有挑衅之心。《明史·郑和传》指出了郑和下西洋的政治目的，即“且欲耀兵异域，示中国富强”。清代的梁启超在其《祖国大航海家郑和传》中也指出，成祖野心勃勃，想通过郑和下西洋的壮举达到炫耀武力、彰显国威的目的。这也是目前最被大众认可的观点。

独占海洋贸易的巨大利益

有些人认为，明成祖朱棣派遣郑和下西洋，不仅仅是炫耀武力、彰显国威，或是追寻建文帝的踪迹。其实，明成祖的真实目的是想以朝贡贸易取代其他一切形式的海洋贸易。当时的东南海洋诸国对明朝廷没有任何政治威胁，海洋贸易的巨大利益，使得雄心勃勃的明成祖想独占好处，于是大规模开拓通往西洋诸国的海上通道，又不解除禁海令，这样，朝廷就可以独占各国“朝贡”的利益了。

郑和下西洋的伟大功绩是任何人也无法否定的。不过，郑和下西洋到底有什么隐情？或许有一天这个历史之谜会被解开。

探索·发现
——世界十大著名宝藏（一）

图坦卡蒙陵墓

图坦卡蒙生于3300多年前，是古埃及第十八王朝法老。其陵墓于1922年被发现。陵墓中出土的文物超过10000件，如纯金面具、纯金的棺材、铺满墓室墙壁的纯金浮雕……每件文物都是无价之宝。文物无可比拟的历史价值和难以解开的谜团使图坦卡蒙陵墓排在世界十大宝藏的第一位。

英国王室珠宝

英国王室是现存最古老的王族，每代君主在其加冕仪式上都要用到缀满珠宝的王冠和权杖。因此，历代英国王室想尽办法收集钻石和珠宝。英王室拥有20000多件宝物，大于100克拉的国宝级钻石就有好几颗，总价值难以统计。英王室珠宝因代表着最古老王族的尊贵和传统而排在世界十大宝藏的第二位。

英国王室珠宝

阿托卡夫人号沉船

1622年8月，阿托卡夫人号所在的由29艘船组成的船队，载满财宝从南美返回西班牙。行驶途中，船队遭遇飓风沉到了海底。这个号称海底最大宝藏的沉船上有40吨财宝，其中黄金就有将近8吨，宝石也有500千克，所有财宝的价值约为4亿美元。阿托卡夫人号上的宝藏完全是以量取胜，排在世界十大宝藏的第三位。

赫氏堡

赫氏堡是有史以来最豪华的私人住宅，是20世纪20年代美国传媒巨鳄威廉·伦道夫·赫斯特的私人城堡。光是修建赫氏堡的费用就高达1000万美元，这在当时相当于一个国王的身家。且赫斯特一生酷爱收藏艺术品，家具、挂毯、绘画、雕塑、壁炉、天花板、楼梯，甚至整个房间都是他的收藏对象。赫斯特去世后，他的儿子们决定将城堡捐赠给加州政府。赫氏堡以其无价的艺术珍宝和主人的慷慨而排在世界十大宝藏的第四位。

罗亚尔港

罗亚尔港是历史上海盗船队的最大集中地，海盗抢夺来的金银珠宝在这里堆积成山。1692年6月7日11时47分，一阵最猛烈的震动后，罗亚尔港从此消失在大海中。罗亚尔港罪恶的兴起和被自然覆灭的悲剧结果使它被排在世界十大宝藏的第五位。

第二章

千古未解的文化谜团

汉字起源之谜

甲骨文

汉字是中华民族特有的文字，是世界上最古老的文字之一，也是当今世界上使用人口最多的文字。但是汉字到底起源于何时，又起源于何人之手，一直是文化史上极富争议性的话题。

仓颉造字说

从战国时期，古代学者就开始注意汉字起源的问题了，其中对后世影响最广的一种说法是仓颉造字说。

相传仓颉是黄帝的史官，黄帝派他专门管理牲口的数目、食物的多少。那时没有文字，无法统计数量，他就用在绳子上打结的方法来统计数目，后来牲口、食物的数量越来越多，他就在不同颜色的绳子上系上各式各样的东西来加以区分。再后来，他受动物脚印的启发，在地上画出动物形状来表示记录的东西，于是最早的象形文字就出现了。从这个传说中可以看出，汉字的出现是社会生产不断发展的必然结果。

夏、商起源说

一些考古学家认为中国历史发展到殷商时期才有了文字，像用于占卜、记事而刻（或写）在龟甲、兽骨和青铜器上的文字——甲骨文和青铜器铭文。但也有史学家

仓颉造字

认为殷商时代的甲骨文就已经很成熟了，中国文字的起始年代还应往前推到夏朝以前或者夏朝末期。

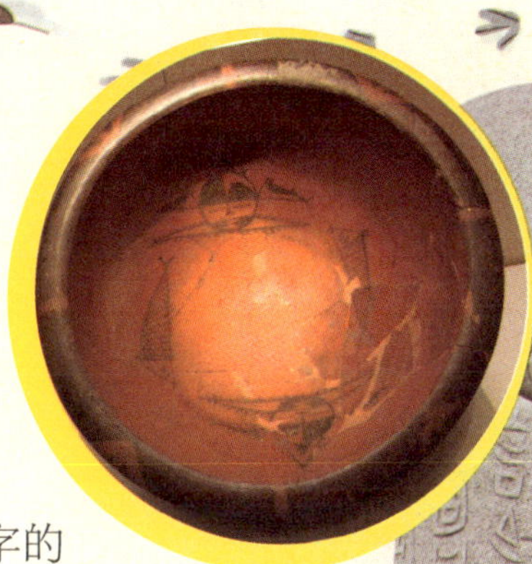

半坡彩陶

郭沫若曾在《古代文字之辩证的发展》一文中提出：以半坡彩陶上刻画的符号为汉字的起源，而半坡文化有6000多年的历史，目前人们还没有破解半坡彩陶上刻画的符号所代表的含义。

“起一成文”说

宋代的郑樵根据许慎的《说文解字》中540个部首“始一终亥”的排列顺序，得出结论：所有的汉字都是由“一”字演变来的，“一”字可有5种变化，用以概括汉字形体的各种结构。

另外，还有“八卦说”“河图洛书说”等多种说法，学界专家各执一词，观点不一。汉字的起源之谜，还需大量有说服力的材料来证明才有可能解开。

花山岩画之谜

在广西左江及其支流明江两岸的悬崖峭壁上有60多处原始岩画，这就是著名的花山岩画。岩画画面之壮观，画中形象之生动，保存年代之久远，无不让人称奇。然而却无人知晓这些巨型岩画的作者是谁，这些岩画产生在什么年代，作画人又是怎样在几十米高的悬崖上完成这些艺术创作的。

岩画简介

花山崖上有一幅岩画高40多米，全长百余米，图像为赭色，虽然经历了千百年风雨的侵蚀，却依然毫不褪色。岩画的线条雄浑粗犷，画中的形象古朴生动。整个画面中共有约1300个人像，大的高约3米，小的约30厘米。岩画中有位巨人，头戴虎冠，腰挎宝刀，身骑野兽，手握箭镞，气度不凡；还有一些大汉，勇武粗壮，正面马步而立，两臂屈肘平举，看上去力气很大……在形形色色的人物中间，还夹杂着形似太阳的大小不一的圆形物体，以及形似马、犬、狼、虎等的动物形象。

谁画了岩画

一些研究者根据岩画所处的地理位置和周围的人文环境推测，这些岩画很可能是壮族先民的杰作。还有人认为这些岩画的作者是唐代开成至咸

神话中的盘瓠娶高辛帝之女

通年间以盘瓠为崇拜对象的苗瑶先民，后来他们因为战争而远离故土。

广西铜鼓

何时画了它

有的学者根据广西历史中关于铜鼓和环首刀流行的时代和岩画上出现该类器物图形，认为岩画形成于西汉；也有的学者根据岩画中唯一出现的文字“魁”是楷体文字，考证它是唐代以后的作品。有关方面组织力量对花山岩画展开全面、深入的考察和研究，又综合大量的考证结果之后，判断花山岩画是在战国早期至东汉时期这段时间里作成的，最初由瓯骆部族或部族联盟中居住在左江流域的氏族所作，后来由乌浒人继承。

环首刀刀柄

想表达什么

至于岩画所表现的内容，学者们各执一词：有的认为是语言符号，有的认为是乐事庆典或是战事盛会，有的认为是祈天求雨或宗教祭祀，还有的认为是战前誓师或是战后庆功等。众说纷纭，莫衷一是。

颜色之谜

这些岩画规模宏大，内容丰富，线条清晰可见，不仅在我国是少有的，在世界上也是罕见的。然而从岩画所在岩崖上的岩石被风化、剥蚀的情况可以看出，这些岩画应该很古老，至少存在了2000年。到底是什么颜料能使岩画经过这么长时间的洗礼依旧保持鲜明绚丽的颜色呢？这些都还有待专家们进一步研究、探索。

少林功夫起源之谜

多少年来，一句“天下功夫出少林”道出了少林功夫的博大精深，吸引了无数怀揣功夫梦想的习武子弟，不远千万里来到少林寺学习少林功夫。如今，少林功夫依然是中华武术中一个鲜明的文化符号。少林功夫有着悠久的历史，但又有谁知道它起源于何时呢？目前，关于少林功夫的起源，大致有三种说法。

达摩说

南朝宋时，达摩祖师从南印度来到中国宣传佛法。他到了今天的南京后，和梁武帝谈佛，但梁武帝不太喜欢他。于是达摩决定渡江北上，路遇江河阻路，他就折了一根芦苇扔在江面上，然后就踏在那根芦苇上，乘风破浪，渡江而去。后来他曾寄寓嵩山少林寺，在一个洞中面壁而坐，一坐就是9年。后来，由于年代长久，他面壁的地方坍塌，露出一个铁盒子。人们在铁盒子中发现了《洗髓经》和《易筋经》，后来《易筋经》发展成武林秘籍，由此便有了少林功夫起源于达摩之说。

隋唐说

还有一种说法，认为少林功夫起源于隋唐之际。原因有二：第一，隋朝末年的时候，有农民起义军攻打少林寺，少林僧徒抵抗农民起义军，由此可以推导出当时的少林寺已经有了习武之风；第二，隋末唐初，昙宗、志操等少林弟子帮助秦王李世民抗击王世充，并且活捉了王世充的侄子王仁则，为新建的唐王朝建立了战功，少林寺也因此得到了李世民的褒奖。因此，有人认为少林功夫起源于隋唐之际。

元明说

元末明初，有一个极具传奇色彩的故事。话说至正年间，红巾军攻打少林寺。当时，有一个烧饭的和尚出来安慰大家："大家不要怕，我去抵御！"这个人不是从大门出去的，而是从烟囱中出去的。他出去以后，就现出他的神形，变得很高大，手里拿着一根棍。红巾军看到后很害怕，纷纷往后逃。当时有个僧人说："你们知道是谁吓退了红巾军吗？是紧那罗王的化身。"自此，少林寺中开始了演习棍法的传统，并由此衍生出不同的武学。当然，对于这个传说也有人持怀疑态度。

但是，人们并不能确定这3种说法中的哪种是正确的。少林功夫到底起源于何时，这有待人们进行更深入的研究。

“木牛”“流马”之谜

看过《三国演义》的人对诸葛亮设计的“木牛”“流马”一定有深刻的印象。书中的“木牛”“流马”宛如活生生的动物一般，上山下岭，各尽其便，实在是奇妙得很。

寻根究底

“木牛”“流马”并非是小说家杜撰出来的，在史书中也有关于它们的记载。史学家陈寿的《三国志·诸葛亮传》记载：“（建兴）九年，亮复出祁山，以木牛运，粮尽退军……十二年春，亮悉大众由斜谷出，以流马运，据武功五丈原，与司马宣王对于渭南。”

关于“木牛”“流马”，古代没有留下任何实物与图形，无法复制，但后人对“木牛”“流马”一直兴趣不减，想要探究其中的奥秘。

四川独轮车

四轮车与独轮车

有学者认为所谓“木牛”“流马”就是一种普通的独轮推车，在汉代被称为鹿车，经诸葛亮改进后被称为“木牛”“流马”。还有人认为，“木牛”“流马”其实是四川地区的一种四轮推车与独轮车，“木牛”是四轮车，“流马”是独轮车。当年诸葛亮北伐曹魏，运送粮草经过的地区既有平原也有山地，“木牛”这种四轮车适合在平缓的大道上运行，而“流马”这种独轮车则可以通过艰险崎岖的栈道。对这一观点，很多人不赞同，他们认为独轮车也好，四轮车也好，构造都极为简单，无任何神奇之处，史家根本无须大书特书。

特殊机械

还有一种说法认为“木牛”“流马”其实就是利用齿轮原理制作的一种机械。因为在三国时代，运用齿轮原理制作机械已屡见不鲜，比如，魏国的马钧造出的指南车，机巧而又变化多端。据史书记载，祖冲之还亲眼见过“木牛”“流马”，并在此基础上进行了改造。至今，许多人仍对“木牛”“流马”着迷不已。近年来常有报道民间不断有人研究复原“木牛”“流马”，但到现在为止，这些复原品还没有一个与史书描述的完全相符。

相信终有一天，“木牛”“流马”的秘密会水落石出。

谁发明了毛笔

毛笔是我国传统的书写工具，在我国文化发展中起了重要作用。那么，毛笔是谁发明的呢？

公认的毛笔祖师——蒙恬

我国素有“恬笔伦纸”之说。正如东汉蔡伦发明了造纸术一样，人们通常把毛笔的发明权归于蒙恬，历代笔工们也都奉蒙恬为“笔祖”。

蒙恬是2000多年前秦朝有名的大将军，他常年率军驻扎在边疆，需要经常向秦始皇奏报军情。当时人们通常是用分签（一种书写工具，用竹、木等物做成的细棍或片状物）蘸墨，然后再在丝做的绢布上写字的，速度较慢。而边关战情变化很快，文书往来非常频繁，情急之下，蒙恬从兵士的装备上撕下一撮红缨，绑在分签上，蘸上墨写起来，这样书写速度就快了起来。后来他觉得这个方法很好用，就做了许多

能写字的简易工具。边疆狼多，蒙恬带领士兵们打狼剥皮后，将狼毛制成笔头；塞外草原，牛羊成群，羊毛也自然成了制笔的原料之一。这就是后来的狼毫毛笔和羊毫毛笔的来历。这样看来，说蒙恬是“笔祖”也在情理之中。

最新发现，颠覆认知

1954年，在长沙郊外的左家公山一个战国古墓中，人们发现了毛笔，这颠覆了之前蒙恬造笔的说法。古墓的随葬品中有一个竹筐，竹筐内有毛笔，笔头是用上好的兔毛做的，据考证，这支毛笔出现的时间比蒙恬做毛笔的时间要早。

另外，距今5000~7000年的仰韶文化遗址出土的陶器很有特点，上面绘有人面纹、鱼纹、鸟纹、鹿纹、三角纹等多种彩色花纹。这种陶器的制作过程是先在软的陶坯上描绘图案，然后烘烧而成。人们推测当时的描绘工具应是毛笔类柔软而富有弹性的工具。但由于没有实物，无法验证。不过，如果确实是毛笔一类的工具，那么毛笔的发明时间又要大大往前推了。

究竟是谁在什么时候发明了毛笔，目前还是个谜。

仰韶文化彩陶

《兰亭序》下落之谜

王羲之

《兰亭序》是书圣王羲之在51岁时，与友人在会稽山阴（今浙江绍兴）的兰亭举行酒会时，趁着酒兴写下的一篇序。全文清新优美，书法遒劲飘逸，被历代书法家奉为极品。据说，王羲之曾再书《兰亭序》，但都逊色于原作，于是，王羲之将其视若至宝并嘱咐王氏子孙好好珍藏。而今，1000多年过去，《兰亭序》存于何方？

《兰亭序》到底在哪里

史载《兰亭序》写在茧蚕纸上，王羲之曾一再叮嘱后代要好好保存，所以这幅作品在南北朝时期一直保存在他的子孙手里，直传到第七世孙智永。智永出家，死后将《兰亭序》的原本交与弟子辩才保存，后几经周转，《兰亭序》被酷爱书法的唐太宗获得。唐太宗对《兰亭序》爱不释

兰亭邮票

手，把它视为国宝，甚至命人在自己死后把《兰亭序》作为陪葬品带入昭陵。到了五代时期，耀州节度使温韬毁陵盗墓，将昭陵挖掘一空，掠走了钟繇和王羲之的书法真迹，但其中并没有《兰亭序》，自此《兰亭序》的真迹不知所踪。

民间流传着一种说法：《兰亭序》根本不在昭陵，而是在乾陵。唐高宗和武则天酷爱字画，所以，《兰亭序》被陪葬在他们二人的合葬陵——乾陵。然而乾陵尚未被发掘，相信有朝一日乾陵开启，必将真相大白。

传世本是不是假的

《兰亭序》的原本不知所踪，后世流传的只有摹本和石刻本，艺术风格并不一致。现在能够看到的本子，分别有被认为是虞世南、褚遂良、冯承素等人的摹本。但这些传世本是真是假，一直是人们争论不休的话题。

清乾隆年间收藏家赵魏认为，王羲之的《兰亭序》传世本中没有保留任何隶书的痕迹，这不符合东晋书法的传统。由此，他判断后世流传下来的《兰亭序》摹本“若非唐人临本，则传摹失真也”。

赵魏只是对《兰亭序》传世本的真伪提出了怀疑，而清末的岭南书法名家李文田更是大胆地质疑，认为《兰亭序》根本不是王羲之的作品。他认为《兰亭序》的书体是南北朝梁陈之后的，王羲之的书法按理不会脱离汉魏隶书太远，由此推断这幅书帖只是隋唐时期的书法佳作，不是王羲之的书法作品。

郭沫若也认为传世的《兰亭序》并非王羲之的原作，因为早在梁武帝时期，王羲之的真迹已经寥若晨星，恰好当时临摹之风又盛极一时。到了唐代初年，唐太宗为了收购传世的书法作品，不惜花费重金，自然也就促生了大量伪作。

当时最具备制作《兰亭序》伪品条件的就是王羲之的第七世孙智永。一则他是王羲之的第七世孙，特殊的身份就是最好的掩护；二则智永的书法造诣也很高；三则智永还会写文章。由此郭沫若推测，流传下来的《兰亭序》应该是智永的作品。

当然是王羲之所作

不同意《兰亭序》是伪作的人认为：从序文的内容来看，《兰亭序》所体现出来的思想和王羲之儒、释、道三家合一的思想是一致的；从书法特点来看，《兰亭序》也是王羲之的作品无疑。因为当时篆书和隶书是传统的官书，为了得到官方的认可，魏晋南北朝时期的写经字体含有隶书的韵味。王羲之所写的行书和楷书是当时的新字体，还不能登大雅之堂，这种字体直到唐初才被认可。王羲之的书帖发挥了他的独创性，所以《兰亭序》完全摆脱了隶书的痕迹。正是由于有所革新，他开创的风格才成为隋唐以来书法发展的主流。持这种观点的人认为，把书帖的作者定为智永，属于臆测，证据不足。

看来，《兰亭序》是真是假，它的作者究竟是谁，还要继续辩论下去。

《永乐大典》正本藏于何处

《永乐大典》编撰于明永乐年间，它汇集了上至先秦、下至明初的各类著作七八千种，显示了中国古代文化的光辉成就，是一部集大成的旷世大典。然而在嘉靖年间重录以后，《永乐大典》的正本却下落不明，这引起了人们的种种猜测。

解缙像

世界文化珍品

《永乐大典》由翰林院大学士解缙担任总纂修，历时6年编修完成，其书内保存了14世纪以前中国历史地理、文学艺术、哲学宗教等各类文献。正文辑成22877卷，凡例和目录60卷，分装成11095册，全书约3.7亿字。《永乐大典》是中国最著名的一部古代文献集，也是迄今为止世界上最大的百科全书。它比法国狄德罗编纂的《百科全书》和英国的《大英百科全书》还要早几百年，堪称世界文化遗产中的珍品。但可惜的是，由于历史原因，《永乐大典》副本惨遭浩劫，大多被毁于战火，今存约800卷，而《永乐大典》正本的下落至今还是历史上的一个谜。

《永乐大典》正本藏于何处

关于正本失踪原因的第一种说法是，毁于明亡之际说，就是被李自成焚毁了。崇祯十七年（公元1644年），李

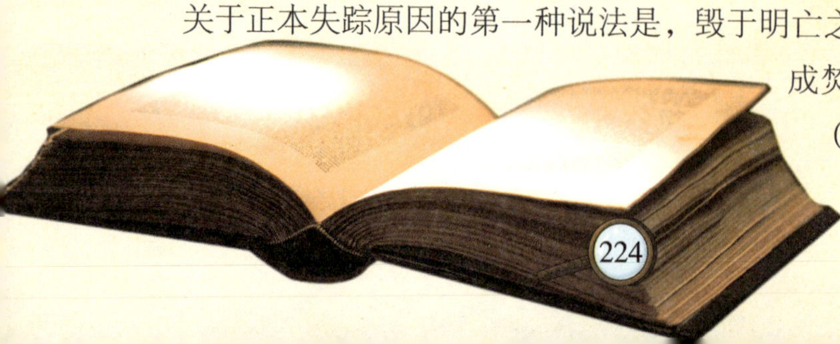

自成率领大顺军队攻占北京，达到了辉煌的顶峰时期，可是这种辉煌只维持了短短40天，多尔衮、吴三桂的满汉联军便击败了这支农民军，之后，李自成匆匆撤离北京。他将怒火发泄在京城这些几百年的宫殿和城楼上，下令放火焚烧。在这样一个人人自危的乱世，已经没有人会去顾及一部书的命运。那么《永乐大典》正本是否就是在此时无声无息地全部化为灰烬了呢？

关于正本失踪原因的第二种说法是，毁于清乾清宫大火说。清朝末年的一位学者缪荃孙提出了这种看法。乾清宫于明朝永乐年间建成，曾数次遭焚和重建，我们目前所见的乾清宫是在清嘉庆三年（公元1798年）重建的。重建的原因，是嘉庆二年发生的一次大火，将整个乾清宫几乎彻底焚毁。

那么，《永乐大典》正本是否像缪荃孙所说藏于乾清宫，后不幸毁于

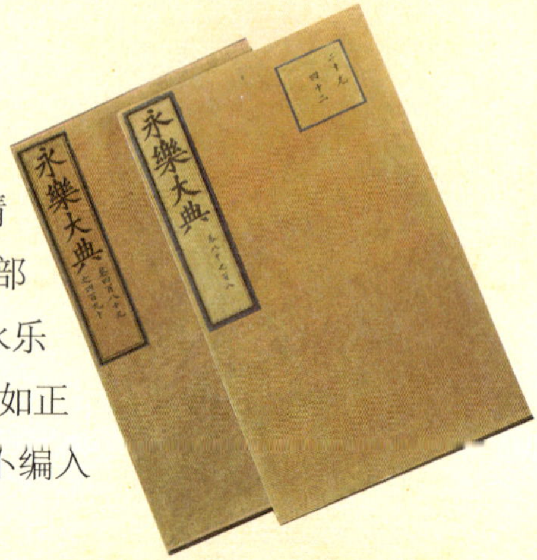

这场大火呢？古籍研究专家张忱石对这种说法提出了不同意见。乾隆九年至四十年间，清政府曾整理过宫中藏书，将所有善本典籍全部集中在一起，编成了《天禄琳琅书目》。《永乐大典》是书籍中的庞然大物，有1万多册，假如正本在乾清宫，是极容易被发现的，怎么可能不编入《天禄琳琅书目》呢？

殉葬说

还有一种说法是殉葬说，因为明朝皇帝以书殉葬的例子有很多。于是，很多史学家推测，《永乐大典》的正本有可能作为殉葬品葬在了陵墓中。明朝皇帝中，明世宗最喜爱《永乐大典》，他生前曾要求加紧重录一部，以备不测，而且自他重录之后，正本便不知所踪了。所以，史学家们猜测《永乐大典》的正本可能就藏在明永陵。不过，殉葬说并不意味着我们还可以找到完整无损的《永乐大典》正本。

《永乐大典》这部价值极高而又历经磨难的旷世大典的下落已经成为中国文化史上一个难以解开的谜。

孙悟空原型之谜

孙悟空又名齐天大圣，是中国古典小说《西游记》中的人物。孙悟空生性聪明活泼、勇敢忠诚、疾恶如仇，是人们心中的英雄。不过，让人们好奇的是：孙悟空只是作家吴承恩笔下虚拟出来的一个人物吗？如果不是，孙悟空的原型究竟出自哪里呢？

《西游记》孙悟空剧照

淮涡水神无支祁

在我国，关于神猴的传说和关于龙的传说一样，有着悠久的历史和丰富神奇的故事，其中最有名的，就是中国神话中的淮涡水神无支祁。鲁迅经过潜心研究，认为孙悟空的原型正是来源于无支祁。

那么，无支祁到底是何方神圣呢？据《山海经》等书籍记载，无支祁是尧舜禹时期的奇妖，也是我国有典籍记载的最有神通、最有影响的第一

大禹降伏无支祁

奇妖。无支祁出生在豫南桐柏山中的花果山，为天生神猴，自封为淮涡水神。他长得像一只巨大的猿猴，白首长鬃，目如闪电，雪牙金爪，非常威武。他的本领也十分高强，除了能言善辩外，水性也特别好，并且一下就能看出江水各处的深浅以及地势的高低；脖子一伸，好像有100尺长，力气极大；无论是搏击、跳跃，还是快速奔跑，他都十分擅长，常常是眨眼之间就不见了。

关于无支祁，还有许多骇人听闻的神话故事，其中最出名的就是他率十几万山精水怪在淮源大战禹王，后被大禹降服，囚在淮河下游的龟山下（一说囚在桐柏山的淮井中）。显然，孙悟空的身上有着无支祁的影子，他们的外貌都像猴子，出生地都是花果山，两个人的本领都十分高强。而无支祁被大禹压在龟山下的故事，也和孙悟空被压在五指山下的故事如出一辙。这样看来，鲁迅的观点可谓有理有据。

印度神猴哈奴曼

和鲁迅的见解不同，胡适认为孙悟空的原型是印度神猴哈奴曼。他在《〈西游记〉考证》里说：“我总疑心这个神通广大的猴子不是国货，乃是一件从印度进口的。也许连无支祁的神话也是受了印度影响而仿造的。”

神猴哈奴曼是印度神话中的重要人物，在印度家喻户晓，是印度人民心中的英雄。哈奴曼是风神之子，他一出世就有不凡的经历，得到始祖梵天的真传，专为天地冥三界除恶扬善。他的武器虎头如意金棍在锄妖铲魔、扶正祛邪中立下了赫赫功劳。

哈奴曼

哈奴曼从小苦练功夫，他的这种精神感动了各路神仙，在众天神的教导和帮助下，他的功夫与法力举世无双，天地冥三界中任何妖魔鬼怪都无法与他匹敌。尤其是他的智慧，在与勇武糅合后产生了巨大的力量，任何艰难险阻都阻挡不了他。哈奴曼率领猴子军进军楞伽岛，杀死十头魔王罗波那，救出阿逾陀国王子罗摩的妻子悉多……

神猴哈奴曼比孙悟空要早出世1000多年，他们都本领高强，都是正义的化身，不过哈奴曼是众神的宠儿，而孙悟空则是通过自己的不断努力得到了佛祖的认可，修成正果，成为“斗战胜佛”的。

高僧悟空

或许你不知道，历史上真有“悟空”这个人。《宋高僧传》中记载，唐代真有一位高僧名叫“释悟空”，俗名车奉朝。他早年从军，为小吏，后来出家为僧，德宗皇帝赐法号“悟空”。他早年时，跟随中使张韬光等人出使西域，却不幸在途中感染上了疾病，不能随行，便滞留在犍陀罗国。独在异乡，举目无亲，又身患重病，悟空十分难过，便发誓说：“如果病能痊愈，情愿落发为僧。”不久，果然身体康复，他便拜犍陀罗国舍利越摩为师，皈依佛门。在西域逗留了近40年后，贞元五年，他回到长安，将随身携带的佛、舍利和所译的3部经卷一并进奉。而此时，他已经60多岁了。这是中国历史上最早的关于悟空取经的故事。

西域胡人石磐陀

在《西游记》中，孙悟空是唐僧收的第一位徒弟。《西游记》中的唐僧在现实中的原型便是唐朝高僧玄奘，而玄奘收的第一位徒弟便是石磐陀。玄奘当年路过瓜州（今甘肃瓜州）的时候，偶然遇到一名胡人，名叫石磐陀，石磐陀希望高僧能收他为徒。当他得知玄奘要远赴印度求法，心中十分景仰，决定要帮助玄奘，随他前往印度。

但经过几天的日夜兼程，石磐陀怕玄奘在过边境时被擒而把他供出来（在当时协助他人偷渡是死罪），惹来杀身之祸，竟产生了杀师叛逃的恶念。一天夜晚，玄奘刚躺下睡觉，发觉有人正向他走来，定睛一看，正是石磐陀。石磐陀抽出刀，向他走过来，又返回，又走过来，又返回。玄奘知道他已经动了杀机，于是静静地坐起，闭目默念经文。见此情景，石磐陀不敢下手，徘徊良久终于还刀入鞘。到了第二天早晨，石磐陀终于向玄奘坦白了自己的想法。最后，玄奘送了石磐陀一匹骏马，自己则骑着胡人送的瘦老赤马一个人走进了沙漠。两人的师徒情分就此结束。由于这位石磐陀是玄奘的徒弟，而且是大徒弟，又是胡人，“胡”与“猢狲”的“猢”同音，有些研究者便认为这个石磐陀就是孙悟空的原型。

关于孙悟空原型的猜测还有很多，这已成为中国文化史上一个悬而未决的谜题了。

《洛神赋》到底为谁而作

《洛神赋》是三国时期著名的文学家曹植创作的辞赋名篇。该赋文藻粲然，卓尔不群，令当时和后世许多人传抄咏颂，赞不绝口。文中所描写的洛神容貌美丽，高雅脱俗。因此，千百年来人们对赋中“洛神”的原型系何人产生了浓厚的兴趣。

“洛神”即甄氏

据说，《洛神赋》原名《感甄赋》。

曹丕的妃子甄氏是中山无极人，上蔡令甄逸的女儿。建安年间，她嫁给袁绍的儿子袁熙。官渡之战后，袁绍兵败病死，袁熙逃往外地，甄氏成了曹军的俘虏。由于她美貌聪慧，曹丕便恳求父亲将甄氏赐给自己。于是，甄氏成为曹丕的姬妾，并生下了魏明帝曹叡，曹叡即位后追封甄氏为文昭皇后。

据说，早在官渡之战时，曹植就曾在洛河神祠偶遇藏身于此的甄氏，并产生爱慕之心，还将自己的白马送给了甄氏，助她逃返邺城。为表感谢，甄氏将自己的玉佩赠给了曹植。两人再次相见，都觉得命运弄人。当时曹操正醉心于他的霸业，曹

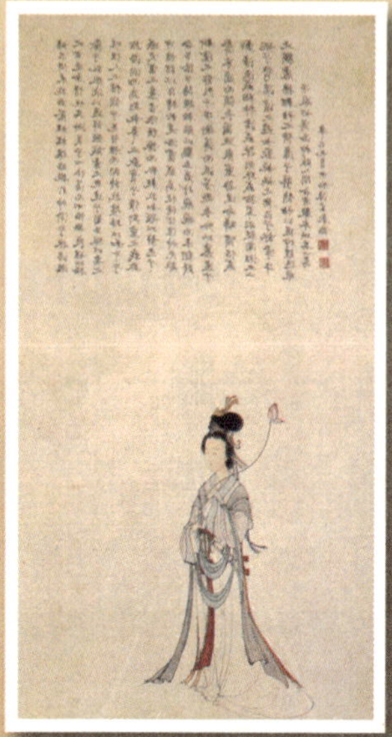

丕也有官职，而曹植年纪尚小，又生性不喜争战，于是得以与甄氏朝夕相处，两人感情慢慢升温。

曹操死后，曹丕登上帝位，定都洛阳，史称魏文帝。魏国建立后，曹丕对甄氏和曹植错综复杂的关系难以释怀，慢慢冷落甄氏，之后将其赐死。

后来，曹植到洛阳朝见哥哥，曹丕将甄氏的遗物玉镂金带枕送给了曹植。曹植睹物思人，在返回封地时，夜宿舟中，遥见甄氏凌波御风而来，曹植一惊而醒，原来是南柯一梦。回到封地，曹植脑海里还在翻腾着与甄氏洛水相遇的情景，于是文思激荡，写了一篇《感甄赋》。曹丕知道后似乎不曾追究，但是公元226年，明帝曹叡继位，因觉原赋名字犯讳，遂改为《洛神赋》。

据此，很多人认为《洛神赋》中的女子就是曹植的嫂子甄氏。

洛神并非甄氏

当然也有人说，《洛神赋》中的女子不可能是甄氏，因为当时那个年代是很讲究伦理道德的，图谋兄妻，这是“禽兽之恶行”。如果《感

丁观鹏摹顾恺之《洛神国卷》

甄赋》真是为甄氏而作，在当时的社会制度下，曹植怎么能安然无恙？这不合常理，所以人们认为《洛神赋》中的神秘女子是甄氏的说法不太可信。

有人认为，古人喜欢借物喻人、借景抒情，以此来隐喻自己怀才不遇、壮志未酬的心情，曹植也不例外。他备受兄侄猜忌，建功立业的理想始终无法实现，因此借《洛神赋》中“人神之道殊”来表明自己壮志难酬、报国无门的悲愤心情。

曹植在写这篇赋之前是鄄城王，而因“甄”与“鄄”字形相近，这是曹植借甄氏之名，实则抒发“长寄心于君王”的愿望无法实现的感慨和无奈。所以说“感甄”之说确有，但所感者并非甄氏，而是曹植黄初三年的被贬地鄄城。

综观千百年来的争论，对立的双方都没有拿出充分而直接的证据来证明自己的观点，大多只是推论。真正的答案是什么，或许只有曹植本人才能说得清楚。

《清丁观鹏摹顾恺之洛神图》

“桃花源”究竟在哪里

东晋诗人陶渊明，名潜，世称靖节先生。他在那篇清新飘逸、平淡自然的《桃花源记》中，描写了一个自由、安乐的理想社会。自《桃花源记》问世以来，一直有人认为这桃花源是不存在的，但也有人坚信它的存在。那么，“桃花源”究竟是纯属虚构，还是有真实原型呢？

“桃花源”在桃源县

湖南桃源县西南15千米处的水溪，俯临沅水，背倚青山，景色绮丽，被当地人认为是陶渊明笔下的桃花源。

早在晋代，桃源县的桃源山就建有道观，名桃源观。隋唐两代，寺观屡建屡毁。清光绪十八年（公元1892年），此地又重修了“渊明祠”，新中国成立后又顺着山势以陶渊明的诗文命名或修复或建造了“桃花观”“集贤祠”“蹑风亭”“玩月亭”“水源亭”“缆船洲”等单元景致。

“桃花源”在武陵

《学术月刊》载刘自齐所写《〈桃花源记〉与湘西苗族》的文章，认为“《桃花源记》所描绘的那幅没有压迫、没有剥削、人人劳动、平等自由的美好的社会生活图景，并非作者的凭空虚拟，也不是幻想的再创造，而是切切实实的当时居住在武陵地区的苗族社会的写真”。

除了陶渊明外，另一个南朝宋文人刘敬叔也在他的《异苑》中记述道：“元嘉初，武溪蛮人射鹿，逐入石穴，才容人。蛮人入穴，见其旁有梯，因上梯，豁然开朗，桑果蔚然……”这简直又是一个“桃花源”，所不同的是，发现者一位写的是渔家，一位写的是猎户罢了。

“桃花源”在宿城山

江苏连云港的宿城山等地古称海州，清咸丰元年（公元1851年）以前，这里一直地处五羊湖的东岸，由水路顺山麓向南，直至海边山尽处，有一小径通入宿城山山坳。宿城山山坳三面环山，一面向海，除了翻越虎口岭，与外界无路可通。这样一个偏在“东海隅”、天然巧成的堡垒，中间却有一片坦荡美丽的川原。

陶渊明在写进入桃花源的情景时说道："复前行，欲穷其林。林尽水源，便得一山，山有小口，仿佛若有光。便舍船，从口入。初极狭，才通人。复行数十步，豁然开朗。土地平旷，屋舍俨然，有良田美池桑竹之属。"此处描写与宿城山地理特点对比，足以让我们产生有趣的联想了。

清代两江总督陶澍自称陶渊明的后人，也是研究陶渊明的专家，他曾著有《靖节先生年谱考异》一书，并亲自向道光帝讲述了宿城山一带"鸡犬相闻"的太平景象。道光帝也认为："此境与桃花源何异？"

"桃花源"的原型，可能还不止上述的三处。"桃花源"究竟在哪里呢？这还是一个谜。

《清明上河图》中的时节之谜

《清明上河图》是北宋画家张择端绘制的长卷风俗画。一直以来，很多人都认为图中所画是宋代清明时节的社会场景，然而，有人却有所怀疑。如果图中所画的不是清明时节，又是什么时候呢？作者为何又将画作题上“清明”二字呢？

世所罕见的名画

《清明上河图》局部

《清明上河图》自问世以来就享誉无数，以图中道具众多、场面宏大、画面生动鲜活等特点，被人们称为中国北宋时代的艺术珍宝。

《清明上河图》上人物、动物众多，且大小不一；场景丰富多变；画中大街小巷密集，店铺林立，酒店、茶馆、点心铺等百肆杂陈；还有城楼、河港、桥梁、货船、官府宅第和茅棚村舍。这样波澜壮阔的社会风俗画卷，世所罕见。因此《清明上河图》在中国绘画史上的地位非同一般，可谓誉满天下。

描绘的到底是哪个季节的景色

一直以来，画中描绘的是清明时节景色的观点已被大多数人接受。然而，历史学者孔宪易先生却在某杂志上提出了异议，他认为《清明上河图》中所画的并非清明时节，而是秋季。并且，他列举了画中几处有说服力的地方。

其一，画卷右首有驮负10篓木炭的驴子。北宋孟元老所著的《东京梦华录》记载：每年农历十月，汴京始“有司进暖炉炭，民间皆置酒作暖炉会也”。清明节前后进暖炉炭，违背宋朝人的生活习俗。孟元老和张择端生活在同一时代，《东京梦华录》是研究北宋汴京风土民俗的重要资料，所以还是比较可信的。

其二，画中有一农家短篱内长了像茄子一类的植物，更为有趣的是，几名孩童赤身嬉戏追逐，这些都不可能是清明时节应该有的场景。

其三，画面上有十几个拿扇子的人，有的人像是在扇风，也有的人好像是拿着扇子在遮阳光，这些都不像是清明时节应该出现的场景。

其四，画面上多处出现草帽和竹笠，一般草帽和竹笠不是用来避雨就是用来遮阳，画上没有雨，显然它们是用来遮阳的，这又一次说明了此时不可能是清明时节。

其五，画面上有一个招牌上写着“口（原文为未能识别的字，标准为

□）暑饮子”字样的小茶水摊；河岸及桥上有好几处小贩的货桌上摆着切开的西瓜；等等。宋时古都汴京的早春乍暖还寒，不可能有西瓜一类的鲜果。

其六，画中虽然有一行人似有前去上坟的迹象，但是上坟四季皆可，并不一定非在清明节。

综合上述画中场景，秋季倒更符合实际些。

“清明”二字的其他说法

虽然这幅巨画名字中有“清明”两字，但它也可能还有另外的解释。

有人认为画作当中所描画的地方是清明坊一带，所以叫作《清明上河图》。

学者邹身城则认为“清明”既非节令，亦非地名，它应该是张择端向宋徽宗进献此画时的颂词，“清明”实际是政治开明的意思，是张择端称颂宋徽宗治国有方，讨他开心的一种辞令而已。

《清明上河图》中的“清明”到底是何意呢？它描绘的到底是哪个时节的社会场景？或许只有作者张择端知道答案了。

马可·波罗来过中国没有

马可·波罗（约公元1254年—公元1324年），生于意大利威尼斯。经他口述，并由比萨人鲁思梯谦笔录而成的《马可·波罗游记》，又叫《东方见闻录》，叙述了他在中国及其他东方国家游历的所见所闻，震惊了西方各国。

教会传奇故事

《马可·波罗游记》一问世，就遭到西方很多人的怀疑和讽刺，因为书中叙述的国家的发展水平远远超过西方当时的发展水平，让人觉得不可思议，该书也被西方各国认为是荒诞不经的“神话”。后来，随着地理大发现，欧洲人对东方的了解越来越多，《马可·波罗游记》中叙述的许多事物逐渐被证实。但仍有人对《马可·波罗游记》的真

《马可·波罗游记》中提到的场面

元朝的地图

实性表示怀疑。

19世纪初，德国学者徐而曼认为《马可·波罗游记》名为游记，实为编排拙劣的教会传奇故事，是为了实现传教士和商人的利益而创作的。他用游记的方式来激发、感化元朝人的热情，以便帮助商人和传教士到中国通商或传教。他还认为马可·波罗一家最远不过是到达大布哈里亚境内，元朝的情况是马可·波罗从曾到过元朝的商人们口中听来的，关于印度、波斯、阿拉伯及埃塞俄比亚的叙述，则是马可·波罗从阿拉伯著作中抄来的。

是否到过中国

1965年，德国汉学家福赫·伯在一篇报告中说，马可·波罗是否到过中国，还是个尚未弄清的问题，《马可·波罗游记》中有很多疑点，如书中写他在扬州做了3年官，如果他真的在扬州为官3年，为什么中国的史书没有任何记载？

马可·波罗在东方旅行

1982年，英国《泰晤士报》发表了克雷格·克鲁纳斯《探险家的足迹》一文。克鲁纳斯认为，马可·波罗可能根本就没有访问过中国，他可能看到过某种波斯“导游手册”，再加上道听途说，就拼凑成了《马可·波罗游记》。其根据有四条：

第一，书中描写的中国的情况，有很多都与中国当时的社会情况不相符；

第二，《马可·波罗游记》对元朝皇帝家谱的表述很不准确；

第三，中国两种最具特色的文化产物——茶和汉字，以及中国的重大发明——印刷术，书中并没提到；

第四，书中提到的许多中国地名用的是波斯叫法。

但是，也有学者持不同的观点，认为仅凭上述几点，不能断定马可·波罗没到过中国。首先，马可·波罗不是文学家、历史学家，由他口述的资料，不太可能完全还原真实历史。至于《马可·波罗游记》中没有提到的茶，极有可能是因为他本人一直保持着本国的习惯，不喝茶。同样，他不认识汉字，文化水平不高，因而不提汉字和印刷术等。书中地名多半用波斯叫法，说明他接触的主要是波斯人，而很少接触汉人，不识汉字。

到底真相如何呢，马可·波罗究竟有没有到过中国？这一问题至今尚无定论。

二十四桥在何处

“青山隐隐水迢迢，秋尽江南草未凋。二十四桥明月夜，玉人何处教吹箫？”晚唐著名诗人杜牧这首《寄扬州韩绰判官》的问世，使“二十四桥”成了昔日扬州繁华盛景的象征。同时“二十四桥”在何处也成了众说纷纭而迄今尚无定论的一宗疑案。

桥名由来

相传在一个月上中天的夜晚，隋炀帝偕同二十四人，至扬州新造的一座桥梁上赏月，当时桥未定名，因同游者有二十四人，故名“二十四桥”。唐时，有二十四歌女于桥上吹箫弄笛之说。五代时，由于战乱，扬州成为一片废墟，而作为扬州繁华盛景象征的“二十四桥”，也为人们所淡忘。

南宋的王象之在《舆地纪胜》中说：“二十四桥，隋置，并以城门坊

市为名。后韩令坤，省筑州城，分布阡陌，别立桥梁，所谓二十四桥者，或存或废，不可得而考。”

二十四座桥

北宋科学家沈括对“二十四桥”循名责实，在《梦溪笔谈·补笔谈》中写道：“最西浊河茶园桥，次东大明桥，今大明寺前。入西水门有九曲桥，今建隆寺前。次东正当帅牙南门，有下马桥，又东作坊桥，桥东河转向南，有洗马桥，次南桥，见在今州城北门外。又南阿师桥，周家桥，今此处为城北门。小市桥，今存。广济桥，今存。新桥，开明桥，今存。顾家桥，通泗桥，今存。太平桥，今存。利园桥，出南水门有万岁桥，今存。青园桥，自驿桥北河流东出，有参佐桥，今开元寺前。次东水门，今有新桥，非古迹也。东出有山光桥。见在今山光寺前。又自衙门下马桥直南……”上列桥名凑成“二十四桥”之数，但是下马桥系明显重复，而极负盛名的禅智寺桥未列入其中，这不能不算是沈括的疏忽。

一座桥

姜夔在淳熙三年（公元1176年）冬至日来到扬州，写下了千古绝唱《扬州慢·淮左名都》，词中有云：“二十四桥仍在，波心荡、冷月无声……”若以姜词的具体语言环境来看，似乎“二十四桥”是指一座桥。清顺治十年（公元1653年）七月，谈迁游毕蜀岗司徒庙，特地去“二十四桥”怀古，并作《二十四桥》绝句一首：“斜阳古道接轮蹄，明月扶疏属柳西。桥上行人桥下水，落花尚自怨香泥。”清道光二十六年（公元1846年），梁章钜访寻“二十四桥”，在《浪迹丛谈》中记下这样的见闻：“或谓二十四桥只是一桥，即在今孟玉生山人毓森所居宅旁……”

由上可知，“二十四桥”或许是一座桥。

二十四桥是桥梁总称

还有人认为大名鼎鼎的“二十四桥”并不是实际存在的东西，它只是唐代扬州桥梁的总称。沈括只从数量上把“二十四桥”逐一落实，而忽略了诗歌毕竟是文艺作品，大可不必这样较真儿地对号入座。

“二十四桥”究竟是否存在？存在的话，又在哪里？人们对“二十四桥”的探讨仍在继续，希望有一天会得出结论。

牧童遥指杏花村

“清明时节雨纷纷，路上行人欲断魂。借问酒家何处有？牧童遥指杏花村。”每逢清明时节，人们总会想起这首脍炙人口的诗，但是你知道诗中的“杏花村”在哪个地方吗？数百年来，这个问题一直困扰着寻找“杏花村”的人们，并且始终没有定论。

寻找“杏花村”所在地

这首《清明》是晚唐诗人杜牧所作。数百年来，人们一直在寻找“杏花村”的所在地。然而，当人们查找杏花村的详细地址时，却吃惊地发现全国有20多处名叫“杏花村”的地方，且几乎每个地方都记载着杜牧的这首诗。那么，杜牧诗中的“杏花村”到底指哪里呢？

根据相关资料记载，有三处地方被认为最有可能是杏花村所在地，它们分别是山西汾阳、安徽贵池以及江苏丰县。但是即便这三处地方被认为“最有可能”，也还是存在不少疑点。

山西汾阳，自南北朝以来，便以盛产美酒著称。历代文人墨客还在当地杏花村旁古井前的石碑上留下不少诗篇，而杜牧的《清明》就赫然列于群诗之首。令人生疑的是，杜牧写这首诗的时候正是他晚年落魄于江南之际，而在此期间他并未到过汾阳。另一处有可能的地方是安徽池州市的贵池。据史料记载，杜牧曾在池州任职两年。不过作为地方最高长官，他应该不至于冒雨跑到荒郊野外找酒喝。还有一种可能，就是他在去安徽池州的路上作了此诗，不过他到池州上任是九月份，与“清明时节”不符。还有一处可能的地方是江苏丰县。但丰县一带自古以来只有一个张杏村，且向来不产酒。

三处呼声较高的“杏花村”，都因有不符合事实之处而纷纷落榜。那么，杜牧诗中的“杏花村”到底是实是虚？

唐诗宋词中的“杏花村”

苦寻“杏花村”无果，人们便从另一个方面去解读“杏花村”。研究者翻阅大量唐诗宋词，发现“杏花村”在唐宋诗词中出现频率非常高：唐诗中有“薄烟杨柳路，微雨杏花

后人取《清明》意境所建造的杏花春馆

村”“雨干杨柳渡，山热杏花村”等；宋词中有“酒旗渔市，冷落杏花村”“罗浮梦觉，步芳影，如宿杏花村”等。这些诗词中的“杏花村”，均泛指杏花盛开的村庄。与这种写作手法相似的还有“黄叶村”“绿杨村”“菊花村”“苇花村”“夕阳村”等。所以部分学者认为，古人作诗填词时，贵含蓄，忌直白，所以，杜牧诗中的“杏花村”，可能只是诗人看到的或想象中的一个开满杏花的村庄。

杜牧心中的“杏花村”

关于“杏花村”，还有另一种解读。杜牧诗中明写杏花村繁花似锦，其实是衬托其内心孤凉的情绪。杜牧胸怀抱负，自诩有“济世之才”，但仕途上的不得志，却让他感到悲凉无奈。“雨纷纷”“断魂”和“酒家”，正好映衬了杜牧一直不被重用的愁绪；用“杏花”收尾，却反映了他对政治春天的憧憬和期待；“遥指”二字极其传神，点明那个理想的、缥缈的“杏花村”，原本只在诗人的心中。

究竟哪种说法对呢？“杏花村”到底是否真的存在？若存在，地址又在哪儿呢？这些仍都是尚待解开的谜。

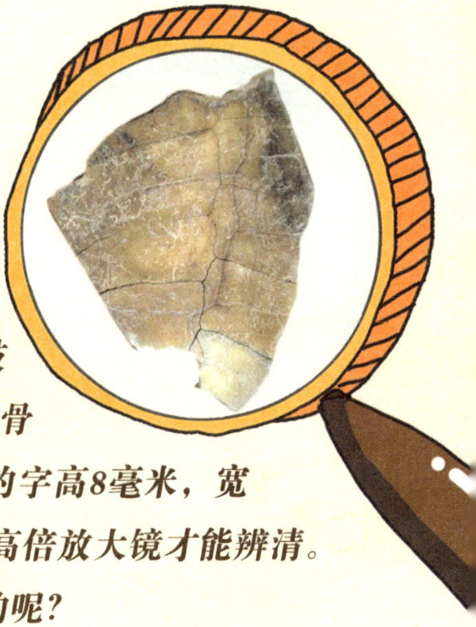

西周微刻之谜

1976～1979年，考古工作者在陕西岐山县和扶风县境内发现了大量西周时期的甲骨文。这些刻在甲骨上的文字细若发丝，最大的字高8毫米，宽5毫米，最小的字高、宽各1毫米，需要借助高倍放大镜才能辨清。这些甲骨文为什么这么小，又是怎么刻上去的呢？

为什么会刻这么小的字

据研究，这些微刻甲骨文涉及内容广泛，主要记述了武王克商前后，周王对商先王的祭祀以及周人在黄河流域活动的情况。

关于这些微刻甲骨文，有人认为，之所以要微刻，是因为关乎“军事机密”。在商纣王时期，朝中腐败，各国诸侯意欲反之，所以如果周王开始策划反商行动，则必须进行一番长期而又秘密的准备工作。而记录这些准备工作的文字必须严格保密，所以聪明的周人就想到用微刻。至于这种办法是偶然发现的，还是当时就已经有微刻这种技术存在了，这些都无从查起。

发现微刻的周原遗址

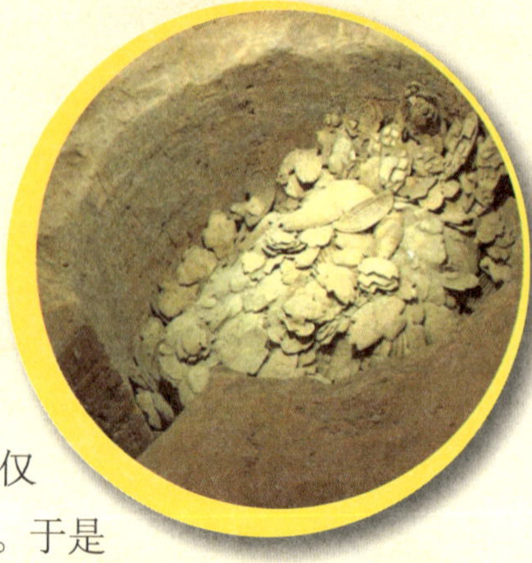

用什么刻的

考古工作者在陕西城固县宝山村商代遗址烧烤坑出土了一枚距今3000多年的铜针。铜针首端又尖又细，末端还有一个微小的针鼻儿，孔径仅有1毫米。其做工之精细，让现代人都为之惊叹。于是有人猜测，这样的铜针是否就是用来微刻甲骨文的呢？

如何刻出这些微小的文字的

然而，甲骨上的微刻文字需要借助高倍放大镜才能辨别出，肉眼是无法看清这些文字的。那么，当时的人们是怎样做的呢？

研究者们猜测，当时很可能有些人的视力是常人的数倍，所以才能刻出微刻文字。而现代医学研究发现，患有某些眼疾的人能将实物放大数倍。事实上，古人的视力究竟怎样，我们真的一无所知。西周时期是否存在着这样目力异常的人呢？目前发现的史料还不足以证明这点，但也不能排除这种可能性。

不过，这一切都只是猜测，这些微刻文字身上的谜团还有待人们进一步研究、揭示。

女书之谜

1982年，湖南江永发现了一种奇特的文字，这种文字被当地人称为“女书”。它是目前世界上唯一现存的性别文字，堪称中华闺中奇迹，世界一绝。用语言学大师季羡林先生的话说就是“闻所未闻，见所未见”。

女书文化

女书是一种比较独特的文字形式，字形右高左低，呈长菱状，笔画纤细，像蚊像蚁，民间俗称长脚蚊字或蚂蚁字。

早期，女子们书写女书时，是把棍子削尖蘸墨，将字写在毛边纸、折扇或手帕上，也有织在花带或绣在手帕上的。女书自上而下书写，尤其字形要倾斜为长菱形，周围有时还

描上装饰图案。据专家们研究，女书的常用字约有600个，并且没有标点符号。

现存的女书文本，最早的是太平天国发行的“雕母钱”。这枚钱币背面铸有“天下妇女”“姊妹一家”的字样。

女书的奇特习俗

女书是一种文化，一种文字，也是一种习俗。使用时，女书是女人专用的，男人不用；传播时，女书传女不传男；人死书焚，陪葬送终。

此外，女书文化还有着许多其他的特别之处，尤其是在婚俗方面。当地的姑娘们在出嫁前都必须要做一两年的纺织、刺绣等工作，也称“女红”，为自己和未来夫家做穿戴用品。女子们常常聚在一起，一边做女红，一边唱读、传授女书。此外，江永县还有很多节日都是专门为女子们安排设计的。这些独特的习俗为提高妇女地位和传播女书提供了便利条件。

围棋起源之谜

“仙界一日内，人间千载穷。双棋未遍局，万物皆为空。樵客返归路，斧柯烂从风。唯馀石桥在，犹自凌丹虹。”孟郊的这首诗中的“棋”就是指围棋。围棋起源于中国，是人类社会历史最悠久的棋戏之一，并成为中国古代四大技能（琴棋书画）之一，使无数人为之着迷。那么围棋起源于何时，其发明者又是谁呢？

“尧造围棋”说

“尧造围棋”是常见的一种说法。传说，尧的儿子丹朱小的时候非常贪玩，不思进取。尧担心他将来成不了才，于是就创造了围棋，教给丹朱。

一天，尧把丹朱叫来，让他捡来一些黑色和白色的小石子儿，然后在地上画了很多小方格，对丹朱说：“黑色石子儿给你，白色石子儿归我。一个石子儿就是

一个兵，你就是‘指挥官’，咱们轮流在交叉点上放石子儿，一次只能放一个，看谁的‘兵’能把对方的‘兵’围住，被围住的石子儿就被消灭掉了，必须把它拿走。”丹朱听了很感兴趣，就与尧在地上玩起来。玩着玩着，丹朱发现自己的“黑兵”总是被“白兵”消灭，急得坐立不安。尧笑着对儿子说：“你不爱动脑筋，所以会输。这与在战场上打仗一样，必须排好兵，布好阵，否则是不能取胜的。”

丹朱受到了很大的启发，从此以后再也不瞎跑胡闹了，而是向尧认真学习有关围棋的知识，对着棋盘聚精会神地思考，学习了许多“打仗”的方法，逐渐地由好动变得稳重，由粗鲁变得文雅，由笨拙变得聪明了。

关于这种说法，历史上也留下过相关的文字，例如，先秦时的文献《世本》记载：“尧造围棋，丹朱善之。”西晋张华的《博物志》曾曰：“尧造围棋，以教子丹朱。”

然而，这两本著作本身就存在着许多有待考证的地方，所以它们的相关记载可信度不高。但是，这些文字记载中说围棋一开始就是“教”的工

具以及开发智力的一种游戏，这是被大家所接受的。

围棋最早是占卜工具

也有人认为，围棋最早被当作一种占卜的工具。在古代，人们喜欢通过占卜来决定一些事情。当时部落间战争频发，部落首领常常用它来研讨战争事宜。而且棋子只有黑白两色，不分等级地位，也反映出当时社会并无阶级之分。这一点也在近年的一些考古发现中得到证实，比如甘肃永昌鸳鸯池遗址出土的彩陶器具上均发现有类似棋盘的图案。不过，仅凭这一点，并不能确定围棋最早是一种占卜工具。

源于春秋战国时期

还有一种说法认为围棋起源于春秋战国时期，原因是有大量此时期的文献记载了关于围棋的事，如《论语·阳货》有："不有博弈者乎？"《孟子·离娄下》有云："博弈好饮酒，不顾父母之养，二不孝也。"《左传》中说："弈者举棋不定，不胜其耦。"但有些学者认为这恰恰说明围棋当时早已广泛流行于各诸侯国了，而在此之前围棋已经经历了一个漫长的发展变化时期，并已经走向成熟。所以说围棋起源于春秋战国时期似乎有些牵强。

关于围棋的这些谜题，相信随着人们研究的深入，一定会被解开。

神秘的八阵图

“功盖三分国，名高八阵图。江流石不转，遗恨失吞吴。”唐代诗人杜甫曾写下《八阵图》诗，称赞八阵图的威力及其重要性。传说八阵图是三国时期诸葛亮发明的一种极其玄妙的行军作战方法，其威力无穷，千百年来一直被人们追崇。八阵图玄妙莫测，存在着众多谜题。有人对它是否为诸葛亮所发明产生怀疑，有人对它的遗址在哪儿感兴趣，还有人对它的下落念念不忘。

是诸葛亮发明的吗

《三国演义》中诸葛亮曾在江边用石头砌出八阵图，困住东吴都督陆逊。在黄承彦（诸葛亮岳父）的指点下，陆逊才从八阵图中脱困。八阵图如此玄妙、厉害，它真的是由诸葛亮发明的吗？

有人认为，八阵图是风后所作。《风后八阵图记》里说，黄帝战蚩尤时，打得很艰苦，于是请风后助战。风后造的八阵图非常厉害，它能像猛虎一样张翼而进，又能像蛇一样向敌而蟠；它能像龙一样腾飞，又能像鸟一样翱翔。

还有人认为八阵图是从黄帝发明的“五井之法”发展而来的，它原来是按井字形布局的“五阵法”，后来军事家孙膑把它改造成“八阵法”。

据说，东汉窦宪征战匈奴时就用过八阵图。八阵图原创者的身份仍旧是个谜。

八阵图下落成谜

据说，诸葛亮死后，八阵图就失传了。直到唐代，安禄山叛乱前夕，有个隐士欲献八阵图给唐玄宗，但玄宗拒绝了。从那以后，八阵图就再也没有出现过了，关于它的所有谜团也就一直没有解开。

八阵图的遗址在哪里

据文献记载，八阵图的遗址有多处：《晋纪》记载，八阵图在今陕西勉县定军山诸葛亮墓东，可现已无迹可寻；《益州记》记载，八阵图在今四川双流；《宜宾县志》记载，八阵图在今四川宜宾市流杯池公园内。

此外，还有的说八阵图或在今天的四川新都，或在重庆奉节的梅溪河口。其中梅溪河口的八阵图又叫“水八阵”，它声名远播，是三峡的重要旅游景点。北魏郦道元《水经·江水》中说：“亮所造八阵图，东跨故垒，皆累细石为之，自垒西去，聚石八行，行间相去二丈。”唐代诗人刘禹锡和宋代文学家苏轼都描述过“水八阵”。但据考古学家与史学家考证，梅西河口并非实战遗址，而是演习八阵图阵法的地方。

真正的八阵图落脚何处，尚无人知晓。

地动仪之谜

张衡

地动仪是由东汉伟大的科学家张衡制造的，它是世界上第一台测定地震方位的仪器，是世界科技史上的奇迹，比西方第一台地震仪早了1700多年。千百年来，科学家们一直都在努力研究它的测动原理，试图复原它，然而至今都还没有一例取得成功。

历史起源

东汉时期，地震比较频繁，短短30年中就曾发生20多次比较强烈的地震。在这种情形下，张衡发明制造了世界上第一台测定地震方位的仪器——候风地动仪。张衡把它安置在洛阳，起初，满朝文武都不相信它能够测出地震的方向。

公元134年的一天，地动仪朝向西北方向的铜球突然落了下来，掉进仪器下面对应的蟾蜍口里。可是，洛阳居民谁也没有感觉到地震。几天后，陇西驿者日夜兼程，赶来京师报告陇西地震，二郡山崩（震级约为6.5级）。

此事之后，大家都不得不承

认候风地动仪的灵验，赞叹张衡的发明。

地动仪的工作原理

历史上关于地动仪实体的描述很少，仅在《后汉书·张衡传》中有近200字的简述。它“以精铜铸成，圆径八尺”“形似酒樽”，上有隆起的圆盖，仪器的外表刻有篆文，以及山、龟、鸟、兽等图形。仪器的内部中央有一根铜质“都柱”，柱旁有8条通道，还有巧妙的机关。樽体外部周围有8个龙头，按东、南、西、北、东南、东北、西南、西北8个方向布列。龙头和内部通道中的发动机关相连，每个龙头嘴里都衔有一个铜球。8个蟾蜍蹲在地上，对着龙头，个个昂头张嘴，准备承接铜球。当某地发生地震时，樽体随之运动，触动机关，使发生地震方向的龙头张开嘴，吐出铜球，落到铜蟾蜍的嘴里。所以人们就可以知道地震发生的方向了。然而，真正的地动仪在被制造出来几十年以后就毁于战火了。

无法掌握的测动原理

尽管张衡的地动仪被证实有着精准测动的能力，而且史书上也记载了它的测动原理。然而，1951年，科技文物专家王振铎根据史书记载所复原的、现收藏在中国国家博物馆的地动仪模型却并没有起到测动的作用。这不禁让人对张衡地动仪的实际测动能力和它存在的真实性产生怀疑。

事实上，有关张衡地动仪的资料非常少，又由于古代语言与现代语言有一定差异，科学家们并不能完全掌握地动仪的测动原理。

从1969年开始，日、美、荷、奥等国地震学界针对王振铎所复原的地动仪模型，发表了一系列措辞激烈的论文。1972年，日本学者关野雄用计算否定了王振铎的直立杆原理。接下来，荷兰、美国的专家也于1983年指出王氏模型不能成立，并从根本上否定了直立杆原理。

于是，现在有些科学家开始认为，王振铎所复原的地动仪模型采用的直立杆原理是错误的，地动仪的内部结构应该采用“悬垂摆原理”才对。看来要想搞清地动仪的奥秘，真正完全复原张衡地动仪，任重而道远。

探索·发现
——世界十大著名宝藏（二）

丹漠洞遗址宝藏

公元928年，挪威海盗来到爱尔兰，当时居住在丹漠洞附近的居民为了逃命，集体躲到洞中，却很快被海盗发现了，所有的人都被杀死了。1999年，一个导游偶然在洞中发现一个银镯子，在接下来的3个月里，工作人员从那个狭缝中挖出了几千枚古钱币，一些银条、金条和首饰等。这些东西应该是当时躲藏在洞内的居民随身携带的。丹漠洞遗址宝藏因为其独一无二的血腥背景和考古价值，排在世界十大宝藏的第六位。

黑格的陨石收藏

罗伯特·黑格拥有世界上最大的私人收藏陨石。黑格的陨石收藏按市场价计算已经超过3000万美元，随着越来越多的人开始收集陨石，他的收藏只会成倍地增值。由于陨石来源的特殊性和未来增值的潜力，黑格的陨石收藏，排在世界十大宝藏的第七位。

西潘王墓室

西潘王墓室隐藏在秘鲁一个山谷里，墓室里摆满了琳琅满目的陪葬品，西潘王的手中抓着一个重达0.5千克、纯金制成的

小铲子，他的头上和前胸覆盖着华丽的金制面具，他尸体周围堆满了数不清的首饰和工艺品，甚至几十位陪葬者的尸体上也堆满了金银制成的首饰。西潘王墓室以巨额的金银陪葬品，排在世界十大宝藏的第八位。

霍克森宝藏

艾瑞克·劳斯是霍克森的一个普通农民，一次偶然在院中的挖掘，他发现了大量的地下宝藏。劳斯马上停止挖掘，并向萨福克郡文物管理委员会报告了发现。经过专业人士的挖掘，所有宝物都重见天日。其中有14191枚银币、565枚金币、24枚铜币、一些工艺品、首饰和金块。霍克森宝藏因其神秘的主人和诚实的发现者，排在世界十大宝藏的第九位。

俄罗斯钻石库

18世纪初，彼得大帝在自己居住的圣彼得堡宫内修建了一座神秘建筑物，所有收集到的珠宝都被珍藏在里面，世人称之为钻石库。在几代皇室不停收集下，俄国的钻石库成为珍贵钻石最集中的地方，其中光世界排名前十的大钻石就有3颗，还有25300多克拉的钻石、1700克拉大颗粒蓝宝石、2600克拉小粒蓝宝石、2600克拉红宝石和许多又大又圆的优质精美珍珠。现在俄罗斯钻石库被列为世界十大宝藏的第十位。

第三章

离奇玄妙的文物古迹

小河墓地之谜

在我国新疆罗布泊地区孔雀河下游河谷南约60千米的罗布泊沙漠中，有一座插满柱形、卵圆形、桨形木柱的“沙丘”，经科学家们考证，这是一个形式独特的古墓群，即小河墓地。

神秘的墓葬群

小河墓地是在20世纪初被发现的。1934年，瑞典考古学家佛克·贝格曼来到了这片神秘的墓地，他在小河墓地发现了他认为是“世界上保存最完好的木乃伊”。1939年，他在斯德哥尔摩发表了《新疆考古研究》一书，介绍了他对小河墓地的考古情况，引起了世界各地学者的广泛关注。自那以后，这片墓葬群便消失在大漠中，直到2000年才又被人们发现。

在艰难的自然环境中，考古学家对小河墓地进行了挖掘。小河墓地面积达2500平方米，至少有3层以上的棺木上下叠压，墓地上插满了木柱，犹如一个插满了筷子的馒头。木柱形状不一，大小不一，颜色也不一样。

墓中死者衣着完整，头带尖顶毡帽，帽上插几根羽毛，旁边还有一些雕刻有花纹的木箭、弓、蛇形木杆等。

无法解释的立柱

小河墓地古墓群所在的沙山上密密麻麻矗立着棱柱形、卵圆形、桨形的立柱，有140多根，高出地表2～4米，直径多在20厘米以上，最粗的立柱高1.8米，直径50厘米，截面为16边形。雕成卵圆形的立柱杂立其间，粗大的木头的顶部被加工成了卵圆形，浑圆的线条和多棱柱形成一种鲜明的对比。

男性死者棺木前部的立柱是桨形的，大小差别很大，其上涂黑，柄部涂红，并划出数道横向的装饰纹；女性死者棺木前部的立柱基本是多棱形的，上粗下细，高度一般为1.3～1.5米，上部涂红，缠以毛绳。这样的奇特形状让考古学家们大惑不解。贝格曼推测，埋葬在这里的人们生前可能经常划桨。还有的学者认为，立柱的形状出于“生殖崇拜”。

未知的墓葬深度

由于流沙造成了挖掘的困难，所以目前还无法确定小河墓地墓葬群到底有多深。只是考古队每从一个巨大的立柱向下挖到1米左右深的时候，就会发现下一层的棺木，而更下一层棺木立柱的顶端已经和上一层的棺木、立柱交错在一起。在一次挖掘中他们发现，仅仅1.8米深的沙堆中竟然已经发掘了两层共33座棺木。这些棺木形制基本统一，并没有被搅扰过的痕迹，可见它们的隐蔽性有多好。那么两层墓葬向下还有多少层？到底还有

毡帽

多少这样的棺木？至今还是一个谜。

小河墓地木乃伊

小河墓地到底出现在什么时候

令人不解的还有墓地出现的时间。考古学家认为小河墓地的形成历经了很漫长的时间，从发现的最晚期的墓地中的棺木及随葬物分析，它们有3800年左右的历史，最底层的棺木年代可能会更早。由于小河墓地的特点与在罗布泊西北地区发现的土著墓地的特征相似，所以贝格曼在《新疆考古研究》中推断小河墓地的年代在公元2～3世纪。它应该比罗布泊其他地区出现土著的墓葬更为古老。

难解的谜团

关于小河墓地的未解之谜太多，比如棺木为何要层层叠压？那些立柱是从哪里来的？把立柱加工成各种形状的工具是什么？这么大的墓地按常理周围应该有人类生活的遗址，但为什么在墓地周围5平方千米都找不到这样的遗址？……一连串的疑问困扰着考古专家。

三星堆之谜

1929年春，四川广汉的农民燕道诚在宅旁挖水沟时，发现了一坑精美的玉石器，关于三星堆文明的研究从此拉开了序幕。三星堆遗址被称为20世纪人类最伟大的考古发现之一，关于它的许多谜题至今都未解开。

三星堆遗址

三星堆遗址位于四川广汉南兴镇，是中国新石器时代至商周时期早期蜀文化的遗存，距今已有3000～5000年历史。1986年，人们在墓堆中发掘出两座大型祭祀坑，出土了大量青铜器、象牙、陶器和金器等，且多属前所未见的稀世之珍。金器中的金杖和金虎形饰制作精美。青铜器除罍、尊、盘外，还有大小人头像、立人像、龙形器和铜鸟、铜鹿等。其中，青铜立人、青铜纵目面具和青铜神树三件造型最为独特，让人匪夷所思。

青铜立人，高2.62米，分人像和基座两部分，人像高1.72米，头戴高冠，身着龙纹袍，一派王者气概，被称为“铜像之王”。

青铜纵目面具，造型雄奇，眼睛呈柱状外突，一双雕有纹饰的耳朵向两侧展开，面具宽1.38米，高0.66米，是世界上现存年代最早、形体最大的青铜面具。

青铜神树，高3.95米，由底座、树和龙三部分组成，九鸟巢枝，巨龙盘身，造型奇特，工艺精湛，可能为神话传说中的扶桑树，是我国至今发现的形体最大的一件青铜文物，也是现

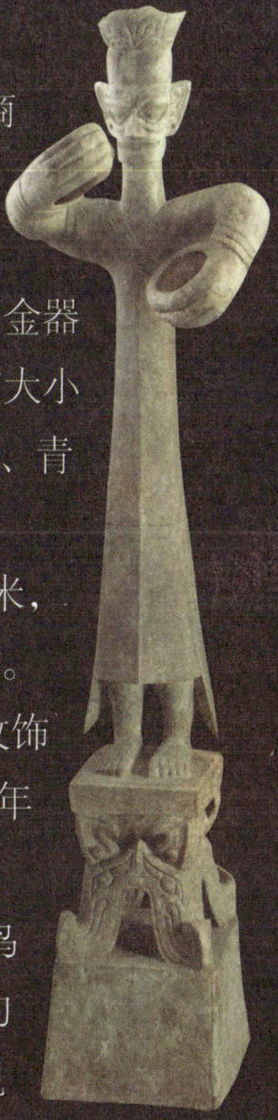

青铜立人

三星堆金杖图案

存的世界上最古老、最高大的青铜树。

在当时的工艺条件下，这些铜人、铜面具及铜树是如何制作的呢？这一直都是一个谜。

青铜神树

难解的图画

考古学家们曾在祭祀坑中发现一根价值连城的金杖，这根金杖可称得上是世界上最大的金杖。金杖上所刻的鱼、箭头等图案让人琢磨不透。《蜀王本纪》认为古蜀人“不晓文字，未有礼乐”，甚至一些专家认为刻画的符号不能表达语言。那么这些看不懂的图案到底是什么意思呢？是代表了文字，还是就是单独的一个符号？这也是一个不解的谜。

文明来自何方

对于三星堆文明的起源，一直以来都众说纷纭，目前最常见的有三种说法：“蚕丛说”“鱼凫说”和“外来文明说”。

持“蚕丛说”的人认为，川西平原地区古称古蜀国，而古蜀国的国王蚕丛，外貌奇特，眼睛竖向生长，这一点跟我们今天发现的青铜纵目面具的形象吻合，这就表明，三星堆文明极有可能就是由蚕丛氏的国家创造的。这一说法目前得到很多人的支持。

持“鱼凫说”的人同样依据古籍的记载，认为古代川西平原的古蜀国的国王并非蚕丛，而是鱼凫。鱼凫王国以广汉为都城，国力强盛，曾经是中国西南地区政治经济文化的中心。而鱼凫氏王国的活动区域，正好

蚕丛

是三星堆所在的地区，因而他们认为，三星堆文明是由鱼凫氏王国创造的。

“外来文明说”最奇特新颖，持这种说法的人认为，以古代蜀国的生产力水平，不可能有如此高超的铸造工艺。三星堆出土的各种青铜器和玉器，既不是当地的传统事物，也并非中国北方或南方古代民族的传统事物，更不是四周邻近的古代部族的传统事物。它们复杂的铸造工艺，奇特的器物造型，也不符合地球人的思维。因此，三星堆文明极可能不是出自人类文明，而是来自外星文明，是外星人根据自己的形象和思维创造的。

古都消失之谜

如果三星堆反映的是3000多年前古蜀国的文明，那么就不得不谈起古蜀国消失的原因了。这也是一个大谜团。有人说，它是被洪水淹没了，但是考古学家并未在遗址中发现洪水留下的沉积层。还有一种是灾难迁徙说，但这种说法根本就没有任何依据，因为成都平原物产丰富，土壤肥沃，气候温和，这种解释似乎难以自圆其说。那么，古蜀国消失在历史长河中的真正原因究竟是什么呢？

希望能早日解开以上关于三星堆的各种谜团。

秦始皇陵兵马俑背后的谜团

1974年，陕西西安临潼区几位农民在秦始皇陵东侧约1.5千米处打井时，不断挖出陶质碎片，后来考古工作者在此发掘出了被称为“世界第八大奇迹”的秦代大型地下兵马俑军阵，引起了世界性的轰动。秦始皇陵兵马俑，姿态各异，栩栩如生，其工艺之精良、铸造之完美令人叹服。与此同时，一个又一个令人不解的谜题也接踵而至。

谜题一：部分兵马俑为何被焚毁

发掘兵马俑时，考古工作者发现，1号和2号俑坑的木结构几乎全部被烧成灰烬，陶俑和陶马被砸得东倒西歪，有的身首异处，有的头破腹裂，有的臂断腿折，有的断成数段，有的成为碎片，完整的陶俑、陶马很少；陶俑和陶马耳上的彩绘大都脱落，有的青灰色陶俑被烧成了红色，俑坑经火焚后全部塌陷。

那么俑坑的火是谁放的呢？后人推测有三种可能：

第一种可能，是秦人自己点的火，以烧毁祭墓物品及墓周的某些建筑，使死者灵魂将其带去阴间享用，即所谓“燎祭”。

但是，如果真的是出于古代的丧葬制度和民间风俗而焚毁这些东西，为什么只烧1号和2号坑而不烧3号坑呢？假如真的是秦人自己烧的，那么从建成到焚毁的时间不会相隔太久。可是据考古发掘来看，俑坑底下普遍都有十几层的淤泥层，这种淤泥层绝不是短短数年间就能够形成的。

第二种可能，是被项羽率领的军队焚毁的。但据史书记载，“烧秦宫室，火三月不灭”，烧的只是宫室，史书中并没有说项羽军队焚毁秦兵马俑的内容。

第三种可能，兵马俑坑中的火是坑内的有机物腐败产生沼气，沼气自燃而造成的。但是，同样的俑坑，同样的环境条件，为什么只有1号和2号坑被烧，而3号坑却没有起火呢？

科学家们试图找出其中的原因，但现在仍无定论。

谜题二：如何制造出如此精良的兵马俑

兵马俑坑中的陶俑和陶马均是泥制灰陶。考古学家推测，它们并

非是批量生产的，而是单独雕塑而成的，所以才能保持色泽纯、密度大、硬高的特点，以手敲击，金声玉韵，其烧制工艺真是达到了炉火纯青的境界。另外，陶俑、陶马身上原来都绘有鲜艳的颜色，因俑坑被毁，加上长期埋于地下，颜色几乎全部脱落。但从局部残留的色彩仍可窥见它们当初的鲜艳夺目。这些陶俑、陶马有绿、粉绿、朱红、粉红、紫蓝、中黄、橘黄、纯白、灰白等色彩，更增添了整个军阵的威武雄壮之气。

据说，当代的制陶工艺大师经过10多年的努力，也仅能仿造一些简单的陶人，想要复制陶马，反复试验竟无一成功。秦代这种杰出的泥塑工艺，使后人佩服得五体投地。但它的技术、配方都早已失传，成了一个谜。

围绕兵马俑的谜团还有很多。也许在不久的将来，随着科学的进步和考古的深入，人们将逐渐找到答案。

阿房宫真的是项羽烧的吗

"楚人一炬，可怜焦土。"千百年来，人们将项羽和阿房宫紧紧地捆绑在了一起，项羽火烧阿房宫似乎已成为定论。然而，有的考古学家并不认同这一说法，要为项羽平反。那么，项羽到底有没有烧阿房宫呢？

传说中的阿房宫

阿房宫是秦代著名的建筑，规模十分宏大，仅阿房宫的前殿就"东西五百步，南北五十丈，上可以坐万人，下可以建五丈旗"。目前考古探明，阿房宫前殿的遗址面积有54万多平方米，由此可知整座宫殿的面积之大了。关于阿房宫的得名，《史记·秦始皇本纪》是这样记载的："阿房宫未成；成，欲更择令名名之。作宫阿房，故天下谓之阿房宫。"可见，阿房宫并不是正式宫名，只是世人的俗称。

项羽为何烧阿房宫

自古以来就有"项羽火烧阿房宫"的说法。那他为什么要烧阿房宫呢？目前普遍的解释是：项羽为楚人，其先祖项燕为楚国大将，在抵御秦国的战斗中战死；在反秦斗争中，他的叔父项梁又被秦将章邯所杀，可以说他对秦国是深恶痛绝的，而阿房宫既堆积了楚国人的累累白骨,同时也是暴秦统治的象征，所以他要烧掉它。

项羽烧阿房宫只是误传吗

最近有的考古学家开始质疑“项羽火烧阿房宫”这一说法，其主要原因就是考古学家们发现阿房宫遗址根本就不存在被火烧的痕迹。按照考古学家的说法，一般建筑物被烧毁后都会生成碳，而碳的性质是非常稳定的，即便过了几千年也会留下痕迹。考古学家们又重新审视相关的史料，发现司马迁的《史记》中也没有确切地指出是项羽烧掉了阿房宫，只有后人的记载中才出现了支离破碎的描述，但那都是晚于秦代约千年的事了。因此，项羽是否烧掉了阿房宫，成为了历史上的一个疑点。

不是被烧，而是没有建成吗

既然阿房宫没有被烧，那么这座无与伦比的“天下第一宫”为何消失不见了？如果不是被烧毁，那它的遗址中就应该有大量的文物存在。然而，考古学家在遗址中只找到了少得可怜的一些秦代瓦片，这片巨大的台地竟然只是一个夯土堆！

秦始皇

由史料得知：当初秦始皇下令修建阿房宫的时间是公元前212年，而在公元前210年，他就突然病死。那时，阿房宫和秦始皇陵是同时进行的两大工程，秦二世为了尽快安葬秦始皇，很可能停下了阿房宫的工程，调用全部的劳役修建秦始皇陵。《史记》中也有“阿房宫未成；成，欲更择令名名之”的记载。所以有的考古学家推测：阿房宫前殿根本就没有建成！

另外，历史上早就有人指出阿房宫前殿没有建成，南宋程大昌在《雍录》中写道：“‘上可坐万人，下可建立五丈旗’者，乃其立模，期使及此而始皇未尝于此受朝也，则可以知其初抚未究也。”明确指出：那是设计的模型，希望建造时能达到模型的样子，阿房宫并不是真实存在的建筑。所以后来我们看到的关于阿房宫的豪华设施及宏大气势的描述，都可能只是它的相关设计文献罢了。再说了，阿房宫设计规模宏大，以当时的劳力，要在短短4年内完工几乎是不可能的。这些都说明了项羽攻破咸阳时阿房宫还没有建成，更无从说烧毁了。

马王堆千年女尸不腐之谜

1972年，湖南长沙东郊的马王堆汉墓中发现了一具保存完好的千年女尸。时隔2100多年，这位名叫“辛追”的夫人被发现时尸体皮肤仍有弹性，身体各部位和内脏器官的外形仍相当完整，部分关节甚至还可以活动。这引起了许多科学家的兴趣，一个沉睡千年的女尸为何能尸身不腐呢？

马王堆的重大发现

湖南省长沙市东郊有一个隆起的大土堆，相传是五代十国时楚王马殷及其家族的墓地，故称马王堆。此处有两座面积相当、顶部呈圆状的土冢，传说是长沙王刘发安葬母亲唐氏（生母）和程氏二姬之处，故称“双女冢”。

辛追蜡夫人像

1971年，离马王堆不远的一家部队医院打算在地势高的两座小山坡开挖防空洞。工作人员在进行打孔探测作业时，从钻孔里冒出了呛人的气体，有人用火点燃，出现了一道蓝色的火焰。湖南省博物馆专家断定此地为一处“火洞子”，也就是一座保存完好的古墓。于是，1972年，经有关部门批准，针对马王堆的考古发掘行动拉开了帷幕。

考古人员先从东边的土冢开始挖掘，先是斜坡墓道和有四级台阶的长方形墓穴露出表面，继而发现一层白膏泥，下面又出现了大量的木炭，木炭下面有26张已经泛黄的竹席。当考古人员小心翼翼地掀开这些竹席之后，一座巨大的椁室就完整地展现在人们面前。整个椁室由厚重的松木板料构筑而成，长6.73米，宽4.9米，高2.8米，4块隔板以“井”字形把椁室分为4部分，古代称为井椁。椁室从外往里依次是黑漆素棺、黑地彩绘棺、朱地彩绘棺及锦饰内棺，内棺上平放着一幅T形帛画，棺里躺着一具用20层锦绣丝绸包裹着的保存完好的女尸。考古专家把这座墓穴定为1号墓。

马王堆T形帛画

辛追的死因

考古专家证实该女尸为利苍的妻子辛追，年约50岁，身高1.54米，体重34.3千克，女尸的结缔组织、肌肉组织和软骨等细微结构保存完好，身体柔软有弹性，皮肤细密而滑腻，部分关节可以转动，手足上的纹路甚至都清晰可见。这一考古发现引来了众多科学家的关注。辛追的尸体皮下脂肪丰满，皮肤没有褥疮，无高度衰老迹象。所以医学专家们推测，辛追很可能是因为突发急病而死。医学专家们对尸体进行病理剖检后得知，辛追的身体有10多种疾病，如多发性胆结石、全身性动脉粥样硬化症冠心病等。通过解剖发现，辛追食道、胃及肠内有甜瓜子138颗半，因而医学专家们推断其死亡时间应该是在暑天，结合其病症，医学专家认为她可能是吃了生冷甜瓜后引发胆绞痛，由此诱发冠状动脉痉挛或胆结石发作，导致心律紊乱而猝死。

朱地彩绘漆棺

马王堆出土文物

千年不腐之谜

辛追的尸体是世界上已发现的保存时间最长的一具湿尸，是防腐学上的奇迹。不过，是什么原因使埋葬千年的女尸保存得如此新鲜完整呢？

有的科学家对出土环境进行了大量的研究和测试，最后他们得出辛追尸体不腐的原因大致有两个：一个是深埋，一个是密封。原来，马王堆地势较高，1号墓地深超地下8米；墓底长7.6米，宽6.7米，下置垫木与两层底板；庞大的椁室和4层套棺上部覆盖了顶板和2层盖板，棺木相互扣接、套榫和栓钉在一起；最重要的一点是墓底和椁室周围塞满厚0.4～0.5米、总重量约5000千克的木炭，木炭具吸水、防潮的功能，可以保持墓穴内干燥；而木炭外围又堆积了黏性强、渗透性低、厚度约1.3米的白膏泥，这对墓穴密封起了决定性作用；再加上层层填土，夯实密固堆积成高约16米的土冢，使深埋地下的椁室形成恒温、恒湿、缺氧、无菌的环境，因此棺椁、墓主尸体及随葬物都完好地保存了下来。而与它相对的西冢，墓穴内白膏泥堆积较薄，且分布不匀，密封程度较差，导致部分陪葬品腐烂。

还有的学者认为是棺椁里的特殊液体导致辛追尸体不腐的。考古专家在棺内发现了20厘米左右深的无色液体，它们不是人造的防腐液。经科学分析，棺内的液体是通过土壤、白膏泥和木炭层而渗入墓室、经长期聚集而成的，其中带有少量的硫化汞等防腐物质，具有微弱的抑菌作用。难道这是女尸不腐的主因吗？现在尚不得而知。

夜郎古国的位置在哪里

夜郎是中国历史上一个神秘而又古老的国度，它同楼兰、大理并称为中国历史上三大神秘古国。夜郎绚丽多彩的古老文明和令人琢磨不透的地理位置，给后人留下了一团迷雾。如今千百年过去了，这个谜团仍未被解开。

夜郎古国

夜郎是战国至汉时期由西南地区中最大的一个少数民族建立的国家。公元前135年，汉武帝为了有效阻止南越国（今广州地区）的分裂变乱，采纳大臣开发西南的建议，将夜郎划入版图。公元前111年，夜郎王因征伐南越有功，被汉王朝授予夜郎王印。

到了汉成帝河平二年（公元前27年），夜郎与南方小国连年征战，汉王朝出面调解，夜郎王不服，发生叛乱。当时牂牁郡太守陈立深入夜郎国腹地将夜郎王斩杀，从此夜郎在历史上消失了。

艺术家打造的花溪夜郎谷

夜郎所在地在哪里

湖南新晃夜郎故地

史籍中关于夜郎古国的历史原貌和都城的记载十分简略，《史记》上只说："夜郎者，临牂牁江，江广百余步，足以行船。"

历史学家对古代有限的文献资料进行考证后，大多数人认为，夜郎国的地域主要在今贵州的西部、北部，以及云南东北、四川南部及广西北部的一些地区，但是却没有有力的证据证明。

其实，在历史上，被叫作"夜郎"的地方不止一处，唐朝就先后在今贵州石阡一带和湖南新晃一带设置过夜郎县，唐代、宋代也在今贵州桐梓一带设置过夜郎县。唐代诗人李白就曾多次在诗中提到夜郎，例如"我愁远谪夜郎去，何日金鸡放赦回"（《流夜郎赠辛判官》）、"天地再新法令宽，夜郎迁客带霜寒"（《江夏赠韦南陵冰》）、"君为长沙客，我独之夜郎"（《留别贾舍人至》）、"我寄愁心与明月，随风直到夜郎西"（《闻王昌龄左迁龙标遥有此寄》）等。这又为夜郎古国的所在地蒙上了一层面纱。

夜郎都邑在何处

然而，随着2000年贵州赫章可乐墓葬群的发掘，考古学家认为夜郎古

国可能就在贵州一带。同时，如此广阔的墓葬区以及数量众多的墓，是不是也说明了可乐就是夜郎古国的都邑呢？

然而，考古学家发现夜郎的都邑好像到处都有，如湖南的沅陵、麻阳，贵州的安顺、镇宁、关岭、贞丰、桐梓、贵阳、石阡、黄平、铜仁和云南的宣威、沾益，等等。于是有的学者就大胆猜测：夜郎国是在不断迁徙的，人们并没有固定的居住之地。造成这样的局面很可能是因为它所处的时期战争频繁，疆域时刻在变动。

有专家认为，夜郎在可乐建邑时已发展到鼎盛时期。夜郎王为了扩展地域，很可能先后在云南、四川、贵州等地区建立多处城池，并且在这些城池都有过短时间的居住。所以以现在的资料来看，还无法确定夜郎的疆域和它的都邑所在。

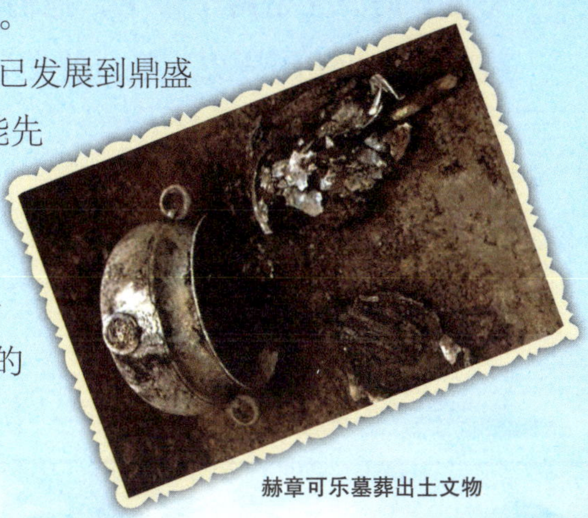

赫章可乐墓葬出土文物

乾陵石像的头哪里去了

乾陵是唐代帝王陵寝中最特殊的一座，是唐十八陵中保存最完好、唯一一座没有被盗的陵墓。在这座陵寝中，安息着一对夫妻，同时又是两个帝王，他们分别就是唐高宗李治和中国历史上唯一的女皇武则天。

石像的原型是谁

在乾陵的朱雀门外的神道东西两侧，矗立着两组与真人一般大小的石像，西侧的石像有32尊，东侧的石像则有29尊。这61尊石像，形象并不相同，有的翻领紧袖，有的袍服束腰，有的披发左衽，但所有石像都在陵前恭敬整齐地站立着，双足并立，两手前拱，像是在迎接什么人。这61尊石像都是谁呢？或者说它们的原型是什么人呢？

一直以来，人们普遍认为这些石像的原型是一些外国首领或者使节，石像是参照他们参加唐高宗葬礼时候的情形制作的。不过，后来被澄清，

这是一种误解。首先，这些石像是在武则天去世前后被制作出来的；其次，每个石像后面都刻着文字，只不过经过1000多年的风吹雨打已经很难辨认，只有一尊石像后面的文字可以辨识，由此可以推测出石像背后应该刻着姓氏、族别、属国名、职位等，表示这是来自不同民族、不同地区的“番臣”。因此，这些石像是一个统一的多民族国家形成历程的见证。

石像头部谜踪

八国联军侵华

令人不解的是，61尊石像的头全都消失不见了。石像的头究竟去了哪里？民间有两种说法：其一，据说，明朝末年乾县当地发生瘟疫，在这场瘟疫中死去的百姓不计其数。传说，日落西山后，这些石像会变成妖怪外出作乱，不仅践踏田地，还残害百姓和牲畜。于是，当地百姓认为，瘟疫的发生可能与乾陵中这些石像有关。当地百姓于是用锄头砸掉石像的头部，他们坚信，这样做石像才不会作乱。

还有一种说法，在清末时期，八国联军侵华，在乾陵看到这些毕恭毕敬的外国使节的石像，认为实在有辱自己的颜面，因此把石像的头全都砸掉了。可是，这个说法也并不可靠。八国联军侵华的时候，并没有到过陕西境内。

直到现在，石像的头仍没有被找到，这个谜也正等着后人来解开。

唐朝大明宫

曹操真的有72座陵墓吗

曹操是我国历史上颇具智慧的人物，他一生战功卓著，成就非凡。但据说，他对于陵墓的要求有别于其他帝王，下达了“薄葬”的指令，并设置下72疑冢，让人找不到他真正的陵墓。这是真的吗？

为何要“薄葬”

中国历代帝王都十分看重自己死后的陵墓，甚至有的帝王在登基之初就开始选址建造陵墓。这些陵墓工程规模浩大，更是陪葬了无数奇珍异宝。而曹操在死前颁布了《终令》和《遗令》，明确提出死后不要厚葬，而要将自己埋葬在瘠薄的土地中，以地面原有的高度作为圹基，陵上不堆土、不植树，而且一概不要金玉珠宝、铜器等物随葬。他这种对自己的后事的处理方式引发很多科学家及历史学者的好奇，他为何要求“薄葬”呢？

有人认为，曹操虽为“枭雄”，地位显赫，但他其实是一个十分节俭的人，对别人、对自己的要求都很严格，所以即便死后也要“节俭”，要求给自己“薄葬”。

有人认为，曹操早年曾为了筹集军费而挖掘了几座帝王的陵墓，他目睹了许多坟墓被盗后尸骨纵横、什物狼藉的场面，为防止自己死后也发生这种惨状，因而才要求“薄葬”。

还有人认为，曹操生性多疑，他生前有不少冤家对头，为了防止有人报复他，挖墓泄愤，于是决定“薄葬”，且不能把自己的陵墓建得非常醒目。

72疑冢

传说，在安葬曹操的那一天，邺城所有的城门全部打开，72具棺木从东南西北四个方向同时出城。从此，曹操之墓成了千古之谜，没人知道他到底被安葬在哪一座陵墓中。

千百年来，想要发掘曹操墓的人不计其数，但至今还没有人发掘出真的曹操墓。

民间有民谣：“漳河累累漳水头，如山七十二高丘。正平只有坟三尺，千古安眠鹦鹉洲。”河北磁县县城内漳河沿岸的一片墓葬被人们认为就是曹操的72座疑冢。因为在军阀混战时期，东印度公司的一个商人曾雇人对这里的十几座墓冢进行挖掘，据说，除了挖出一些土陶、瓦罐之类的东西外，一无所获。直到1988年，中国的考古专家们又对此处进行了大量的发掘研究，最终确定这里并不是曹操陵墓，而是北朝的大型古墓群，且陵墓的确切数目也不是72座，而是134座。

根据民谣，曹操的墓应该就在古邺城西门豹祠以西的漳河沿岸。而且史料记载南宋诗人范成大于1170年曾在此下马，拜谒曹操陵。但范成大拜谒的是不是真的曹操陵墓呢？如果这里没有曹操的陵墓，曹操的陵墓又建在何处呢？

曹操的墓地到底在哪里

后来，又有诗说曹操墓是在漳河河底，并有传说作为佐证：有一捕鱼之人在干旱的漳河河床上发现了一扇石门，进入石屋见到了曹操尸体及陪葬女。但这种说法经

不起推敲。

又根据《彰德府志》记载，魏武帝曹操陵在铜雀台正南5千米的灵芝村。据考查，这也属虚构。

还有一种说法是，曹操陵在其故里谯县的“曹家孤堆”，因为曹操死后，曹丕紧接着就到谯县祭祖，这可能说明曹操葬在了“曹家孤堆”中。再者，亳州有庞大的曹操亲族墓群，其中有曹操的祖父、父亲、长女等人之墓。有人据此推断，曹操之墓也当在此。但这种说法也遭到了质疑，曹丕去谯县可能只是祭祖，不一定是祭曹操。祖先坟在此，不一定曹操墓也在此。

2009年，河南省文物局声称，安阳县安丰乡西高穴村发现了魏武王曹操高陵。这座大墓被发掘时已经多次被盗。在这个大约740平方米的“甲”字形陵墓中，有一座带斜坡墓道的双室砖券墓，主要由墓道、前后室和4个侧室构成。研究者们在墓葬中发现了大量金、银、铜、铁、玉、石、骨、陶、云母等质地的器物，其中8件极为珍贵的圭形石牌上刻有“魏武王”字样。另外，考古学家在清理墓葬过程中总共发现了三具尸体，一男两女，男子年龄在60岁左右，推测该男子为曹操。其他两个女性尸体身份暂时无法确定。然而，随后不久，河南安阳曹操墓被指造假。

如今，关于曹操墓的疑云仍没有散去。

长沙楚墓帛画之谜

龙凤仕女图

《人物龙凤帛画》，又称《龙凤仕女图》，是1949年春天，湖南长沙市东南郊楚墓出土的一幅帛画，是现存最早的中国帛画之一。尽管这幅画历经千年，画面几乎辨认不清，但还是有不少学者对画中妇人的身份产生了极大的兴趣，坚持不懈地对它展开了多方面的研究和探讨。

《人物龙凤帛画》

《人物龙凤帛画》纵长31.2厘米，横宽23.2厘米，四周毛边。画上有一端庄高髻的妇女侧身而立。妇女双手合掌，腰身纤细，袖口宽松，长裙曳地，体态优美。妇女的上方画有一只展翅飞舞的凤和一条蜿蜒向上升腾的龙。该画采用了白描的技法，以墨线勾描，线条有力、圆滑，用笔流畅、简洁，顿挫曲折，富于节奏的起伏变化，虚实有度。

帛画寓意之争

山海经凤凰图

帛画的左上方画有一兽，对于它是恶兽还是神龙，说法不一。有人认为画的上方的一兽一禽分别为夔和凤，相互做争斗状。凤为神鸟，象征善与和平，在斗争中居高临下，占优胜地位；夔为恶兽，象征邪恶与死亡，在侧面抵御逐渐败退。画中的妇人站立于一弯月状物体之上，双手合掌，站立在凤鸟的一边，好像在祈求正义的一方能够获得胜利。

有人提出异议，认为帛画的布局有上、中、下三层。上层为天空，左上方是龙，右上方为凤鸟。龙和凤在我国古代神话传说中是助死者之魂升天的神兽神禽。妇人脚下月状物是画的下层，应为大地，意味着妇人站在大地上，她表情肃穆，向着龙凤合掌祈求，希望飞腾的神龙神凤引导她的灵魂升天。所以帛画应该是楚巫神迷信思想的反映。

后来又有人提出帛画中妇人脚下的月状物其实是魂舟，表示她的升天除有龙凤引导之外，还有魂舟的帮助。但是，帛画的寓意究竟为何，至今仍无定论。

帛画中的妇人是谁

关于画中妇人的身份，大致有3种说法：

一种说法认为，帛画中的妇人其实就是墓主人的形象。帛画是葬仪中用以引导死者灵魂升天的铭旌。这是楚人丧葬的一种习俗，寓意墓主人死后由神灵引导升天。画中妇人长裙曳地，鞋履不露，使人一看就能明确死者是一个雍容华贵的贵夫人。另一种说法是，画中的妇人很可能是当时的“巫祝”的形象。画面其实是在描写巫女为墓中死者祝福的场景。另外，还有人认为画中妇人是女神宓妃。因为从墓葬出土的形式来看，帛画不是用于观赏的美术品，而是被统治者作为寄托其不可达到的信念的迷信工具，这种形式是当时楚人的一种迷信习俗。这幅帛画中的妇人到底是谁？各家争论不休，直到现在也没有一个统一的答案，看来还需要科学家们进一步的研究。

夔龙形佩

“北京人”失踪之谜

“北京人”又称“北京猿人”“北京直立人”，于1927年首次在北京房山周口店被发现。它们的发现在人类进化史上有着重大的意义，是证实人类起源于古猿的依据。可惜，人类学家们还没有来得及深入研究，它们的化石就没了踪影。

“北京人”失踪

1929～1937年，中国的考古学家在周口店的一个山洞里先后发现了5个完整的和一些相对完整的“北京人”化石，考古学家将其正式定名为“中国猿人北京种”，简称“北京人”。“北京人”虽然不是最早的人类，但作为从猿到人的中间环节的代表，被称为“古人类全部历史中最有意义最动人的发现”，因此“北京人”的发现不仅是中国的财富，也是世界的财富。1937年，日本发动了全面侵华战争；1941年，太平洋战争爆发，为了保证“北京人”化石不在战争中被破坏，当时的重庆国民党政府秘密

“北京人”遗址

将这些化石标本转移至美国某学术研究机关，请其暂为保管。不料，这些“北京人”化石却在转移途中丢失，直至今日仍下落不明。

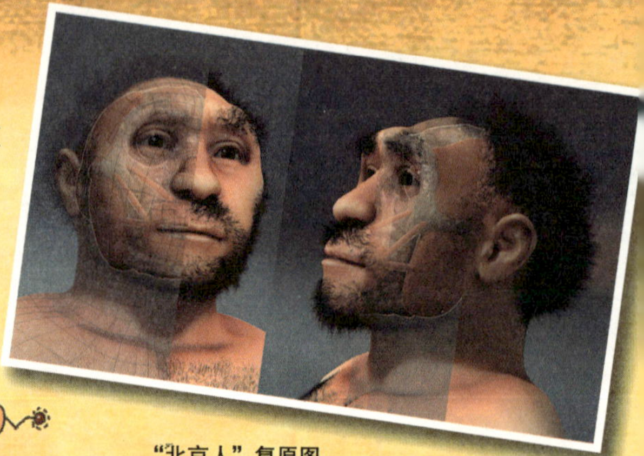

“北京人”复原图

“北京人”已被毁坏了吗

据说，“北京人”被发现之后，最初保存在北京协和医院的地下保险库内，当时日军突然发动战争，“北京人”化石还没有来得及转移医院就被日军占领，就连协和医院的院长和负责转移化石的美国海军陆战队队员也成了俘虏。所以有学者认为，“北京人”很有可能就在那个时候被日军毁掉了。

但也有科学家抱着乐观的态度，他们认为“北京人”化石在日军侵占医院之前就已经被转移，日军很有可能是在天津劫掠了运输化石的火车，将化石带到了日本，但具体把化石藏在什么地方就无从查起了。

“北京人”随运输船舰沉于海底了吗

有的考古学家认为，“北京人”已随着运输的船舰沉没于海底。1945年，被日军征用的“阿波丸”号在从新加坡驶向日本的途中，在中国福建牛山岛以东的海域被美军潜水舰击沉，与“阿波丸”号一起沉入海底的据说还有2008名乘客、40吨黄金、12吨白银、大批的珠宝和文物……有人称“北京人”化石就在日本沉船“阿波丸”号上。

还有学者认为，“北京人”化石应该是随“哈里逊总统”号一起沉没的。1941年，“北京人”化石被移交给即将离

开北京撤回美国的美国海军陆战队，按原计划，美国海军陆战队将其装上“哈里逊总统”号，负责将“北京人”化石运到美国。但是“哈里逊总统”号在途中被日舰追逐，最终被击沉于大海。

“北京人”仍在中国吗

还有一种说法，认为“北京人”化石其实还留在中国。20世纪80年代，美国人类学家夏皮罗在《北京人》一书中说，化石曾辗转被运到了驻天津的美国海军陆战队兵营。1971年10月21日，据护送“北京人”化石转移任务的执行人——美国医生费利说，装有北京猿人化石的箱子放在天津的美国海军陆战队兵营大院里的6号楼地下室木板层下面。但后来，科学家们对此地进行了严密的勘查，却毫无发现。

我国的古人类学家周国兴认为“北京人”化石可能就在原美国驻北平领事馆里，没有离开中国。因为这是化石最后的落脚点。一个美国士兵回忆，在珍珠港事件爆发前夜，他在站岗，半夜看到两个人抬来一箱东西埋在大使馆的后院，箱子里面可能就是“北京人”化石。周先生曾执着地找到了那个地方，只是上面已盖有房屋，不能发掘证明。

我们期待能早点儿揭晓这个谜底。

张壁古堡之谜

山西介休龙凤镇有一处十分奇特的地方——张壁村，又称张壁古堡，它的面积仅0.12平方千米，但却具有完备的城市形态和良好的军事防御设施，这在世界上都颇为罕见。于是人们试图去揭开它那一层层神秘的面纱。

建立时间之谜

张壁古堡，作为一个历史文化底蕴厚重的村落，它的始建时间我们却不清楚。关于它的建造时间有3种说法：其一，张壁古堡始建于公元619年。隋末刘武周为抗击李世民，始筑该堡，并在该堡地下构筑了攻守兼备、可屯兵万人的地道。其二，张壁古堡的始建人最早可追溯至五胡十六国时期的张平。此后的高欢、斛律光、杨谅、刘武周等人均可能对其进行修葺、重建并加以利用。其三，该堡民宅起源于金，繁盛于明清。综上，古堡到底建于哪个年代，没有人能给出确定的答案。

地下暗道之谜

在张壁古堡的地下藏着许多诡秘的暗道，这些暗道全长3000多米，分为3层，四通八达，具备攻、防、退、藏、逃等功能，机关密布并与数十处民宅连通。可是，这些地道修建于何时，作用是什么，却在当地的县志文献中无从查起。有人将它与当时山西地区的乡村自我防御的传统以及晋商文化联系起来，怀疑它是山西商人的一种自我防御的体现，但多数学者并不十分肯定这种说法。

古堡风水之谜

有专家研究发现张壁古堡的地势南高北低，完全违反了中国古代的风水学说。北门一带的庙宇群中供奉着真武大帝，而该庙宇群却被建得高耸挺拔，或许意在弥补村庄风水的不足。但是为什么要在这里建这样一个堡垒，为什么要反风水而建，却不得而知。

另外，张壁村已发现30余处建筑物、标志物与星座相对应，而张壁村名也来源于二十八星宿之中的张宿、壁宿。更为奇特的是，村里的祭星仪式自古沿袭至今，这又为古堡披上了一层神秘的面纱。

小雁塔“离合”之谜

西安的小雁塔是一座历史悠久且经历奇特的寺塔，它神奇地经历了3次分裂3次复合。这是怎么回事呢？

小雁塔简介

小雁塔位于陕西西安城南1.5千米处，在唐朝建立的荐福寺内，它至今已有1000多年的历史了。小雁塔建筑精美，是我国重要的佛教建筑遗产，它采用密檐式方形砖构建，形状秀丽，蔚为壮观。原为15层，现存13层，高43.3米，塔基边长11米，塔身每层叠涩出檐，南北面各辟一门；塔身从下往上逐层内收，形成秀丽舒畅的外轮廓线；塔的门框用青石砌成，门楣上用线刻法雕刻出供养天人图和蔓草花纹图案，雕刻极其精美，反映了初唐时期的艺术风格。

“神合”的历史

在漫长的历史岁月中，小雁塔经历了一段段“神合”的历史。

公元1487年，陕西发生了6级大地震，把小雁塔塔身中间从上到下震裂了一条30多厘米宽的缝。

然而时隔34年，在1521年的又一次大地震中，裂缝在一夜之间又合拢了。人们百思不得其解，便把小雁塔的合拢叫“神合”。明嘉靖三十四年（公元1555

年）九月，一位名叫王鹤的京官回乡途中夜宿小雁塔，听了目睹过小雁塔"神合"的堪广和尚讲的这段奇事后，惊异万分，便把这段奇事刻在小雁塔北门楣上。内容如下："明成化末，长安地震，塔自顶至足，中裂尺许，明澈如窗牖，行人往往见之。正德末，地再震，塔一夕如故，若有神比合之者。"

后来，清康熙辛未年（公元1691年）地震，塔又裂，辛丑年（公元1721年）塔又复合。第三次的裂开没有具体的时间记载，塔身自顶至足30多厘米宽的裂口，后经西安市人民政府进行加固和整修，才恢复了旧貌。

为何塔会分裂又复合

小雁塔裂开之后为何能复合呢？

有人推测：小雁塔的离合很可能是地壳运动引起的。当地震发生时，地壳迅速裂开，塔身随之裂开；地震结束，地壳缓慢复合，雁身也便随之复合了。这种说法表面上似乎合理，但不足以令人信服。因为除了小雁塔之外，西安地区并没有其他自动离合的例子出现，为什么独独小雁塔会三离三合呢？显然这种说法还有待考证。

新中国成立以后修复小雁塔时，有关专家对小雁塔离合现象有了另一种解释：他们认为小雁塔之所以会自动复合是由它的独特建筑技艺造成的。古代的能工巧匠将小雁塔的地基筑成一个半圆球体，受震后小雁塔能将压力均匀分散，就像"不倒翁"一样，虽历经数次地震，仍屹立不倒。这听起来很合理，但是否属实，还需要验证，我们期待谜底能早日解开。

古崖居的主人是谁

俯瞰古崖居

北京延庆的张山营镇有一处建筑结构复杂、设计巧妙、被令人称为古崖居的石室群，这些石室密密麻麻分布在山崖峭壁上。是谁刻凿了这些石室？它们产生于哪个年代？这些都是令人困惑的谜题。

建筑精妙的古崖居

古崖居的石室分布在前后两个沟内，总共有117个洞穴，占地近10万平方米，全部开凿在陡峭的花岗岩石壁上。洞穴形状多样，有长方形、正方形、三角形及圆形；石室的面积不等，小的不到3平方米，大的可达20多平方米；它们有的上下相通，有的左右相连；洞内凿有石灯台、石灶台、石坑，布局合理；设有排烟道、气孔、户枢、门框等，到处充满着人

类居住的痕迹。古崖居建筑奇特，是一个充满谜团的所在。关于它的主人是谁这个问题，一直是有待破解的谜题。

是矮人族的栖身之所吗

研究者们认为，古崖居的居民可能是一支游走矮人族，他们不仅在中国，还在土耳其等国留下了足迹。从房子的结构看，古崖居主人身高在1.5～1.6米之间。

是边关士兵的军营吗

有的学者怀疑古崖居是汉朝边关士兵居住的军营，因为他们在洞穴附近的一处山顶上发现了一段依山而建的残墙，这些残墙的高度和地理位置很像古时的烽火台，而与之相呼应的古崖居则应该是军营。

是古老的奚族人的居所吗

随着对古崖居的深入研究，科学家们又在此处附近发现了不止一处的相同的洞穴，这说明当时古崖居的居民有可能已经发展到一个部族的规模。但到底是什么部族？研究者们翻阅史料，发现我国北方地区的一个古老部族——奚族很可能就是这些洞穴的主人。据史料记载，在唐朝晚期奚族人背叛契丹，曾游走在妫州的北山附近，而妫州辖境就包括今天的北京延庆一带。但是奚族人以游猎为生，理应对帐篷更为熟悉，他们能造出这样完整的石屋吗？这又成了一个不解的谜题。

每种猜测都各有依据，但古崖居的主人到底是谁，还是没有一个确定的结论。

护珠塔斜而不倒之谜

意大利有一座斜而不倒的比萨斜塔，中国也有一座倾斜不倒的宝塔——护珠塔。比萨斜塔以倾斜5度16分而成为世界之谜，而中国上海市的护珠塔则以其倾斜度有7度6分左右成为斜塔不倒的第一谜。

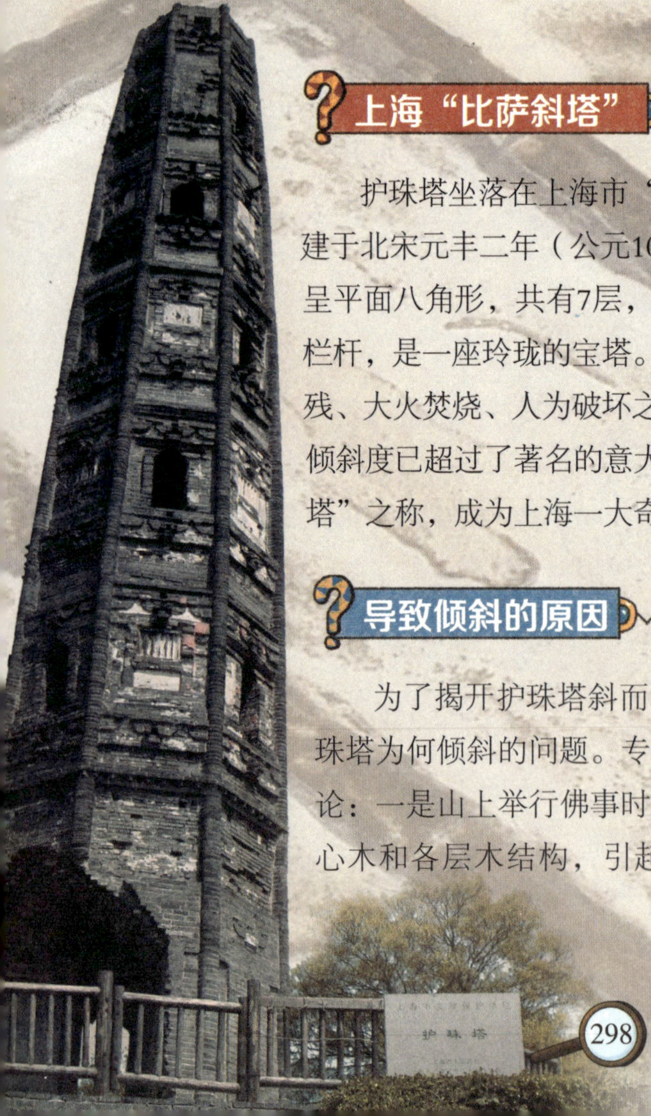

上海“比萨斜塔”

护珠塔坐落在上海市“松郡九峰”之一的天马山上，始建于北宋元丰二年（公元1079年），整个塔身为砖木结构，呈平面八角形，共有7层，为楼阁式。每层有腰檐、平座、栏杆，是一座玲珑的宝塔。这座千年古塔，在经历了风雨摧残、大火焚烧、人为破坏之后，依然斜而不倒。护珠塔塔身倾斜度已超过了著名的意大利比萨斜塔，故有上海“比萨斜塔”之称，成为上海一大奇观。

导致倾斜的原因

为了揭开护珠塔斜而不倒的谜底，专家们先提出了护珠塔为何倾斜的问题。专家们经过大量的研究得出两种结论：一是山上举行佛事时燃放爆竹，引起火灾，烧毁了塔心木和各层木结构，引起塔身倾斜；二是最初修建宝塔

被拆掉的塔砖

时，塔的砖缝里填满铜钱，这本来是用来镇妖避邪的，但没想到人们会拆掉塔砖以求得塔砖缝中的铜钱，最终导致塔基被毁，塔身倾斜。

斜而不倒实在神奇

护珠塔虽然已经倾斜，但却屹立不倒，这实在令人惊奇。对此，人们产生了几种猜测：第一种猜测是塔东南面有一株具有仙气的古银杏树，它富有神力，遥遥支撑着护珠塔，使它不倒塌。当然，这只是一个民间的传说，不足为信。

第二种猜测跟造塔技艺有关。据调查研究发现，古代建筑砌砖用的黏合剂是糯米饭拌以桐油、石灰制成的，这种黏合砖块的黏合剂强度超过了现代的水泥砂浆，并且这种黏合剂随着时间的推移会越来越坚固；再加上古代工匠们的精湛砌砖技艺，整座塔能够浑然一体，即使塔砖残缺，塔也不会塌落。另外，坚固的塔基也为塔身提供了有力的支撑，使它斜而不倒。

第三种猜测跟地质构造有关。据专家分析，天马山的地势沉降不均匀，东南方向土质较软，西北方向土质较硬，所以塔向东南方向倾斜。而江沪一带多东南风，天马山山顶空旷，所受东南风力更强，这样塔的倾斜力就与风力相平衡，并且东南风还有可能起到支撑塔身的作用，所以塔斜而不倒。

当然，这些推测还都处在求证的阶段，相信在不久的将来，专家们会给出一个更加明确的答案。

神秘的西夏王国“金字塔”

西夏王国的陵墓有着“东方金字塔”之称，它们有大大小小200多座，远看状如窝窝头，近看则为八角形。它们的存在就像它们的王国一样令人琢磨不透。

神秘的西夏王陵

西夏王朝是一个极具神秘色彩的古代王朝，它曾在历史上消失了千年，引起历史学家们的不断探寻。后来，西夏王陵的发现为查清西夏文明消失千年的原因提供了条件。虽然西夏王陵已遭到了毁灭性的破坏，但其宏伟的规模，严谨的布局，残留的陵丘，仍可显示出西夏王朝特有的时代气息和风貌。然而，这些状如金字塔的陵墓又为科学家们提出了新的难题：为何西夏帝王陵墓的形式不同于一般帝王陵墓的形式，而是像一座座“金字塔”呢？

别具一格的陵墓形式

西夏王陵在布局风格上不仅吸收了秦汉以来，特别是唐宋皇陵的长

处，同时又受到佛教建筑的影响，还结合了党项族的文化。它是我国最大的西夏文化遗址，也是宁夏最重要的一处历史遗产和最具神秘色彩的文化景观。

西夏王陵规模宏伟，布局严整，大大小小的陵墓有200多座，每座陵墓都由阙台、碑亭、月城、内城、神墙等部分组成。其中，一座残高23米的“陵塔”，由层层残瓦堆砌而成是陵园中最显著的建筑。它有什么作用呢？为什么建在陵园的西北角？对此，学术界说法不一。

为何建有陵塔

目前学术界给出的说法中支持人数较多的是，陵塔即佛塔。西夏是一个崇尚佛教的王朝，因此佛塔是陵园内必不可少的建筑，而佛塔是用来供奉和安置舍利等的地方，为了表示对佛教的尊敬，身为凡人的西夏王就不能同舍利一样葬于塔中，但为了体现西夏王的帝王权威，故将西夏王的遗体葬在佛塔的旁边。

万里长城的未解之谜

长城是中华民族的象征，长城又称万里长城，实是当之无愧。但长城的两端到底在什么地方却有着不同的说法。因为长城的修筑前后历经2000多年，不同时期修筑的长城并不是绵延不绝、连在一起的，而且早期修筑的长城有颇多损坏，以致人们对长城两端所在地的认识出现了不同的意见。

临洮—辽东

据《史记·蒙恬列传》记载："秦已并天下，乃使蒙恬将三十万众北逐戎狄，收河南（今内蒙古黄河以南地区）。筑长城，因地形，用制险塞，起临洮，至辽东，延袤万余里。"这表明秦始皇修建的长城两端分别是临洮和辽东。秦始皇修建的长城其实包括3段，东段起于现在内蒙古化德县内，向东基本上是沿着今内蒙古和河北交界处蜿蜒东行的。进入辽宁以后，折向东南，一直延伸到朝鲜境内的平壤大同江北岸，其终点即"辽东"。秦始皇长城的中段，从东至西由内蒙古兴和县起，北依阴山，南靠黄河河套地区，西抵乌兰布

和沙漠北缘。西段长城，经考察西起甘肃省岷县，循洮河东岸向北至临洮县、兰州，再东折至榆中县。

专家认为今天的岷县就是秦朝时期的临洮，是秦万里长城的西边起点。现在其遗址旁树立着一块碑，写的是“战国秦长城遗址”，原来在春秋战国时期，各诸侯国都修筑过长城，秦国也不例外。这一段以临洮为起点的长城就是秦昭王时修建的，后来秦始皇加以修缮。可惜的是，现在我们很难确定西起临洮的这一段长城是否真的存在过，因为几乎看不到绵延于山川田野的城墙的遗迹。一些学者在这一带找到了很多秦代遗物，不过这并不能证明这一带曾修建过长城，因为这一带本来就是秦朝人的活动区域，找到一些秦朝遗物不足为奇。

辽东—罗布泊地区

第二种说法是万里长城东端在辽东，西端在现在新疆罗布泊地区。此种说法来源于汉代所修筑的长城。汉朝时期，北方游牧民族匈奴强大起来，不断在汉朝边境滋事。经过一系列战争，汉武帝打通了甘肃经河西走廊到新疆罗布泊的交通要道，并使西域各王国臣服于汉

山海关

朝。汉武帝在军事进攻的同时，还着手进行另一项工作，即大规模修筑长城。汉武帝最后一次修筑长城是在公元前104年至公元前101年，修了玉门关至新疆罗布泊段的长城。

那么，长城的西端是否在罗布泊呢？汉代在河西走廊到罗布泊的这段长城和我们一般概念中的长城不同，它只有相隔的城墩、烽火台，而缺少它们之间相连接的城墙。不过其功能却是相同的——驻防、互相通报敌情。如果它不是长城，那么这条千里屏障又该如何称呼？

山海关—嘉峪关

第三种说法是长城东到山海关，西到甘肃的嘉峪关。由于时代久远，早期各个时代的长城大多残毁不全，现在保存比较完整的是明代修建的长城。山海关和嘉峪关其实是明长城的两端。这两座雄关修建得气势磅礴，至今保存完好，一东一西相互对峙，所以被认为是万里长城的两端。明代是最后一个大规模修筑长城的朝代，在其统治的200多年中几乎没停止过对长城的修建。因为明朝建立以后，前朝统治者逃回蒙古，不断在明边境骚扰掠夺，东北又有女真族兴起，所以明王朝十分重视北方防务，对修筑城墙很下功夫。全国各府州县的城墙都用砖包砌，修得十分牢固，长城的修筑工程当然就更为浩大。

对于万里长城的两端到底在什么地方这一问题，众说纷纭，至今尚无定论。

长城尽头嘉峪关

探索·发现
——水下古城

在世界的某些神秘海底或湖底隐藏着远古人类城市，这些远古建筑遗址蕴藏着大量的人类历史信息。

埃及亚历山大水下古城

远离埃及北部港口城市亚历山大的海岸，一座神秘的古城位于海底之中，它被认为是埃及克娄巴特拉七世的住宅废墟遗址。很可能是1500年前一场巨大的地震导致这座古城沉没于海水之中的。

印度坎贝湾“黄金城”

科学家在印度海域发现9500年前的一处远古水下废墟。这处水下神秘古城具有完整的建筑结构以及许多人体残骸。这座水下古城被叫作“黄金城”，曾被人们认为是印度克利须那神的水下城堡。

泰国科万帕瑶湖底寺庙

泰国科万帕瑶湖湖底有一座500年前的泰国寺庙。在大约70年前，这座寺庙才引起研究人员的关注，有关部门商讨要修复这处寺庙。然而，现在这座寺庙还是鱼类的栖息地，因此许多研究人员提议不要破坏这些鱼类的栖息环境。

日本与那国岛水下金字塔

20多年前，潜水人员意外地在日本与那国岛海底发现一处古代废墟，之后科学家认为这很可能是一座神秘的金字塔。这一建筑结构在底部有雕刻的迹象，目前这个神秘水下金字塔仍充满着许多谜团。

哈瓦那巨石废墟

2011年一支科研小组对巴西尤卡坦海峡海底神秘废墟进行勘测，在海底发现城市环境废墟的迹象。许多人认为这处曾经人类宜居的废墟历史可能早于远古美洲文明。但迄今为止，仅有计算机模型才能监测到神秘水下巨石废墟的存在。

欧洲北海水下景观

近年来，科学家在欧洲北海海底发现了大量的自然景观。这些海底自然景观曾流淌着河流、湖泊和海洋，而现今它却安静地躺在海底，仅能够通过水下勘测数字绘图才能被发现。科学家认为这处完好的水下景观是遍布欧洲的远古文明废墟的中心地点。

南极洲可能存在"亚特兰蒂斯"

100多年前，土耳其一位博物馆馆长通过检测一张古地图，发现一个神秘标识地点，这个地点正是现今的南极洲。据此，许多人认为南极洲就是传说中遗失的亚特兰蒂斯。近期研究人员通过声呐技术发现南极洲海底的陆地环境，与古制图师所绘制的地图系统十分相似。

读者反馈卡

感谢您购买《探索天下 · 学生版　历史未解之谜》，祝贺您正式成为了我们的“热心读者”，请您认真填写下列信息，以便我们和您联系。您如有作品和此表一同寄来，我们将优先采用您的作品。

读者档案

姓名＿＿＿＿＿＿＿＿　年级＿＿＿＿＿＿＿＿＿＿

电话＿＿＿＿＿＿＿＿　QQ号码＿＿＿＿＿＿＿＿

学校名称＿＿＿＿＿＿＿＿＿＿＿＿＿＿＿＿＿＿＿

班级＿＿＿＿＿＿＿＿　邮编＿＿＿＿＿＿＿＿＿＿

通信地址＿＿＿＿＿＿省＿＿＿＿＿＿市（县）＿＿＿＿＿＿区

（乡/镇）＿＿＿＿＿＿＿＿＿街道（村）

任课老师及联系电话＿＿＿＿＿＿＿＿＿　课本版本＿＿＿＿＿

您认为本书的优点是＿＿＿＿＿＿＿＿＿＿＿＿＿＿＿＿＿＿＿

您认为本书的缺点是＿＿＿＿＿＿＿＿＿＿＿＿＿＿＿＿＿＿＿

您对本书的建议是＿＿＿＿＿＿＿＿＿＿＿＿＿＿＿＿＿＿＿＿

＿＿＿＿＿＿＿＿＿＿＿＿＿＿＿＿＿＿＿＿＿＿＿＿＿＿＿＿

您在使用过程中发现的错误，可另附页。

联系我们：北教小雨文化传媒（北京）有限公司

地址：北京市北三环中路6号北京教育出版社

邮编：100120

联系人：北教小雨编辑部

联系电话：010-82012300

邮箱：beijiaoxiaoyu@163.com

*此表可复印或抄写寄至上述地址

请沿此虚线剪下

编者声明

本书的编选，参阅了一些报刊和著作。由于联系上的困难，我们与部分作者未能取得联系，谨致深深的歉意。敬请原作者见到本书后，及时与我们联系，以便我们按国家有关规定支付稿酬并赠送样书。

联系人：北教小雨编辑部

地　址：北京市北三环中路6号北京教育出版社

邮　编：100120

电　话：010-82012300